私たちが創る美しき日本からの未来図

We Create A vision of the future from a beautiful Japan

あなたが変われば奇跡は起こせる

小橋賢児
Kenji Kohashi

KK ロングセラーズ

はじめに

日本は変われるのか？

そう聞かれた時に、「変われる！」とすぐに答えられる人はどれくらいいるのでしょうか？

ほとんどの人が「そんなの無理だ、どうせ変わらないよ」とおっしゃるかもしれません。

しかし、世界は今大きく揺れ動く時代にあります。

世界中で猛威を振るったパンデミックに始まり、米中貿易摩擦、ロシア・ウクライナの緊張関係、ヨーロッパのエネルギー危機、気候変動、食糧危機など……数え出したらきりがないほどの問題が、僕たちの地球全体に影響を与えており、これらを簡単に見過ごすことはできません。

さらには、これからの時代、ＡＩ（人工知能）やメタバースといった新しい技術革新が急速に進み、僕たちの生活や社会に大きな変化をもたらします。なかでも「Chat GPT-4（米OPEN AI社）」のような高度なＡＩ技術は、コミュニケーションやビジネスにおいても、人々の生活そのものに革命をもたらすことでしょう。

もちろん問題や先端技術だけが環境を変えていく訳ではありませんが、このあらゆるものが入り混じった混沌とした時代を、僕たちはただ傍観していることができるのでしょうか？

それとも、一人ひとりが何か行動を起こすべきなのでしょうか？

僕自身、政治家でもなく、何かを動かすほどの資金力があるわけではないのですが、心の奥底でずっと信じているものがあります。

それは、日本が本来の美しさと元気を取り戻し、その力で世界を調和し、これからの世界の指標となっていくことです。

しかし、現在の日本を見ると、誰も現実的にそう思える人はいないのかもしれません。先行きの見えない不安、周りの目を気にするがあまり本当の自分で生きられていない、そう感じる方も多いのではないでしょうか。

では、そんな日本が本来の姿を取り戻すことなんてできるのでしょうか？

それには、僕自身がプロデューサーとしても参画している二〇二五年に開催される大阪・関西万博（EXPO 2025）が一つのキーになるのではないかと思っています。

もちろんこの本を手に取られた方の中には、万博と言われてもピンとこない方も沢山おられるでしょう。

ただこの激動の時代に万博が日本で開催される意味、二〇二五年という昭和のはじめから数えてちょうど一〇〇年が終わるというタイミングに、万博が開催される意味はとても深いと思うのです。そのあたりを本書でお話ししていきたいと思います。

また、ＡＩ（人工知能）やメタバースなどの新しい技術がもたらす未来をどのように捉え、活用して、より良い社会を構築していくのかについても考察していきます。これらの技術との共存・和合が、日本の「美」の一つとしても語られるべきでもあり、これからの世界に変化をもたらすための鍵となるでしょう。

日本には古来から「結び（ムスヒ）」の思想があるように、あらゆるものを結んで和合することで、日本の「美」の本質を見つめ直し、それを未来へと繋げていくことが重要だと思っています。

まずは、本書で伝えたい要点をプロローグで整理し、各章で具体的な提案や取り組みについて語っていきたいと思います。僕たち一人ひとりが力を合わせ、世界に変化をもたらすための行動を見つけていければ幸いです。

小橋　賢児

私たちが創る
美しき日本からの未来図

第2章　僕たちには無限の可能性がある

第3章　本当の自分に出会うこと

第4章 人間の役割は？

第5章　「心の時代」を牽引していくのは日本人

第6章 美しき日本からの未来図

帯写真撮影／HAYATO IKI

プロローグ
今、大きく変わるチャンス

クリエイターという仕事

小さな Want to がきっかけで……

最初に、本書を読み進める前に自己紹介がてら少しだけ僕の人生にお付き合いください。

今、僕は二〇二五年の大阪・関西万博の催事企画プロデューサーを仰せつかっていますが、これまで二〇二一年に開催された東京二〇二〇パラリンピック競技大会の閉会式にはショーディレクター（総合演出）として大きな仕事をさせていただいたり、「STAR ISLAND」という伝統の花火やドローンなどのテクノロジーを融合したエンターテインメントショーをプロデュースし日本、サウジアラビア、シンガポールなどで開催したりと、主にイベントの演出、プロデュースを中心に、最近では都市開発や地方創生など街づくりにも携わっています。

しかしながら、僕の最初の職業は、俳優でした。

八歳の時に偶然テレビで見たバラエティ番組のオーディションに、観覧希望と勘違いして一枚のハガキを出したことがきっかけで芸能界に入りました。

純粋にこの番組を観に行きたい！　その小さな「Want to」と一枚のハガキを出す、という行動がきっかけです。

両親は共働きで鍵っ子、僕の時代には珍しいくらいの古い家で育ちました。

もちろん僕が小さい頃は、今みたいにスマートフォンで簡単に連絡が取れるわけではありませんので、親に何かを確認したくてもすぐに確認する術が無かった時代です。

でも今となれば、そんな環境だったからこそ、後先考えずその一枚のハガキを出すことができたのではないかと感謝しています。

ラッキーなことに、一〇〇〇人以上のオーディションの中から番組のレギュラーに選ばれることになりました。そして、約一年間のテレビ出演の後に芸能事務所に入りました。

しかし、芸能事務所といっても五〇〇人以上も子供たちが所属しているところだったので、特別何かをしてくれるわけではありません。

ただひたすらオーディションの案内が来たら、受けに行って受かれば出演、受からなければ何も起きないのくり返し。

当時の僕は天邪鬼《あまのじゃく》で、オーディションに行って「笑ってください」と審査委員に言われても、「面白くないので笑えません」と答える捻《ひね》くれ者だったので、ほとんどのオーディションは不合格。多い時は年に一〇〇回くらい受けても、ほとんど不合格という有様でした。

そんな中でも一〇〇回に一回くらい「お前、面白いなぁ」と言って、合格をだしてくれる監督やプロデューサーもいました。

そのうちの一つが、映画監督・岩井俊二さんのドラマや映画だったり、Kinki Kidsと共演して話題にもなった『人間失格』というドラマであったりしました。

それらのドラマへの出演を境に、急に仕事が増えるようになりました。

嬉しい悲鳴のはずなのですが、活躍する場が増えるにしたがって、自分の世界が狭くなっていく感覚を覚えるようになります。そして、その現実を見ないように、いわば不感症のような状態で日々を過ごしていた気がします。

クリエイターとの出会い

俳優だからこうしなければならない、俳優だからこういう場所に行ってはいけない、俳優だからこういう人とはつるんではいけない……。そんな「Have to」で生きる毎日は、生きながらまるで死んでいたような感覚だったかもしれません。

そして、このままでは自分というものを失ってしまう、という恐怖を覚え、いつもの環境を少しずつ離れる中で「クリエイター」という職業の人々に出会いました。

ある日、そのクリエイターの方たちと海でキャンプをしました。その日はちょうど新月で、街から離れた入江にあるビーチだったため、月明かりも街の明かりも届かない場所で、信じられないくらいの満点の星空が広がり、これまでの人生で一番くらいの数の流れ星を見ることができました。

その時に、あるクリエイターの方が「ねえ、ねえ、この流れ星と音がシンクロしたら面白そうだよね!!」と無邪気な子供のようなキラキラした目をしながら話しかけてきました。

それから半年くらいたった時、彼が「ねえ、ねえ、あの星降る日の話だけど、あれゲームにしたんだよ!!」と言ってきました。

自然と遊んで、想像というイマジネーションを創造というクリエイションに変える、クリエイターってなんてすごいんだ! と思ったと同時に、自分をごまかしながら今を生きている自分の不甲斐なさに劣等感と漠とした焦りというものを感じたのも正直なところです。

その後、外国への一人旅をしたりもしたのですが、その焦りと何ともいえない虚無感に日々襲われるようになり、「このままでは無理だ〜」と逃げるように俳優を休業し海外へと旅立ったのです。

他に何かしたいことを見つけ、準備をしてからの決断ではありませんでした。ただただ、苦しかったからその場から出る、というものでした。

今思えばですが、「何かがおかしい」と感じて、感じたら、どんな理由であっても行動を起こす、ということが、結果としてはとても大切だったのだ、と確信することになります。

その辺のお話も、ゆっくり書いていこうと思っています。

ハプニングが人生を導く

これといった目的も無く、旅をし続けました。「自分探し」などという格好のいいものではありませんでした。

まるで感情のリハビリのように夕日や星空を眺めては涙を流し、旅先で会った旅人との人間力の差に劣等感で泣いたこともありました。
でも、それでも不感症のように生きていた俳優時代より「生きている」という実感があったのです。

おかげさまで世界中で様々な人々や文化にふれ、まるで何でもできるようになった気で帰国しましたが、実際にはチャレンジしてもチャレンジしても何もうまくいきません。

プライドだったのかもしれませんが、今更俳優に戻れるわけもないと思っていた僕はまともな仕事も無く……、次第に貯金も底を尽き、そうなるとストレスで色々な揉め事も起きたりして、気づいた時には鬱と内臓の病気で実家で寝たきり状態の日々が続き、悪循環で、まるで負のスパイラルに飲み込まれていくようでした。

あのまま病気を理由にだめになってしまうこともあったのかもしれませんが、なぜか「まずは病気を直そう」という風に思えたのは、ある意味ラッキーだったのかもしれません。

知人に相談して、自然の近くへ引っ越し、紹介してくれた大学生たちと山で走ったり、海で泳いだりして、とにかく体を治すことに集中しました。

昔から漠然と「男は三〇代から」と思っていたのですが、気づくと三〇歳まで残り数ヵ月というタイミングになっていました。

現実的には「男はここから！」とは言い難いほどの人生のどん底ではありましたが、自分ができる目の前のこととして、「自分の三〇歳の誕生日をプロデュース」してみようと思い立ちました。

通常、誕生日パーティーというと、みんなにプレゼントをもらったり「おめでとう！」と言われ、どちらかというと、もてなされる側になってしまうと思うのですが、とにかく今回のパーティーは日頃お世話になっている仲間たちへのおもてなしの会にしようと決めました。

そのために自分ができることは体を治して元気な姿でみんなを出迎えること、そしてみんなに楽しんでもらうこと。この二点だけに集中して、毎日トレーニングに励み、みんなの笑顔を想像しては時に涙が出るような、そんな想いを込めてイベントをつくりあげました。

その時の自分は、大きな夢を描くなんていうことは現実的ではなかったので、目の前のできること、体を治す、そしておもてなしの会としての誕生日をプロデュースする、このたった二つの行動をしていただけでした。

結果として、この二つの行動からイベントづくりが始まり、後に今の職業に繋がったのですから、人生何が起きるかわかりません。

夢を持って行動するのはもちろん素晴らしいことですが、これだけ情報が沢山あり、先行きが見えない時代、本当に自分がなりたい姿、なるべき夢に出会えるのは現実的にはなかなか難しいのではないでしょうか。

そう考えると、自分でも望んでいなかった予期せぬ出来事、僕の場合、職を失い、病気になるということでしたが、時にそういう人生のハプニングが自分でも想像していない人生へ導いてくれる、ということもあると思うのです。

クリエイティブを通じて「気づきの場」を創造する、予測不可能なセレンディピティ（偶然の産物）に出会い、そこから本当の自分の人生に出会い、全人類が自分自身の人生をつくるクリエイターになる、そういう「気づきの場」をつくっていくクリエイターという職業が僕の人生の一部となっていきました。

夢を見ること、妄想を描くこと

こんなことができたらいいな、あんなことも、と妄想するのはとても楽しいものです。しかし、現実社会のことを考えると、そのワクワク感は萎んでいってしまいます。

生きている証ともいえそうなワクワク感が萎んでしまって、悲しい思いをするのは、そんな妄想をした自分が悪いのだろうか？

自分としては、このワクワク感こそを大切にしたいのですが、自分が間違っているのだろうか？

そんな疑問を抱きながらの日々でしたが、ある日、次のような言葉に出会いました。

「人間＝ホモ・サピエンスの文化は、『**嘘を信じる力、いわば虚構を信じる力を身につけたから**』今日まで発達し、継続している」

「その力によって、目の前の危機だけでなく、未来の危機も予測し備えておくことができたり、お金や宗教というのも存在している」

というのです。僕はそれを知って、人類が夢を見る、妄想を描く、という場合にも当てはまるのではないか、と思いました。

現実の世界では、ピーターパンは空を飛ぶことはできません。しかし、舞台の中では、宙を舞います。

たとえ現実の世界ではなくても、ピーターパンが空を飛ぶ姿は、僕たちの心に記録され、僕たちに少なからず影響を及ぼします。

現実の世界には、変えられないルールが沢山あります。物理的なルール（時間を逆転することとか）、や精神的ルール（社会的ルール、法律、タブー）です。

しかし、イベントやエンターテインメントの世界では、独自のルールを作ることができるのです。ある意味で誰でも空を飛ぶことができます。宇宙旅行も、タイムトラベルも、可能なのです。

ただイベントが終わってしまったら、それでお終いなのか？

決して、そうではありません。参加した人たちの心の中に、感動や新たな価値観が刻まれ、それぞれの人の中で、未来を切り開く原動力になる可能性もあるのではないかと信じています。

僕は二〇一四年から二〇一八年までに、お台場でダンスミュージックのイベント「ULTRA JAPAN」を五回、二〇一七年からは未来型花火エンターテインメント

「STAR ISLAND」、二〇一九年の東京モーターショーでは五〇〇機のドローンを使用した夜空のスペクタクルショー「CONTACT」などを仕掛けてきましたが、きっと参加した人の、人生の何らかの行動のきっかけになってくれていると信じています。

「我思う、故に我あり」?

これはフランスの哲学者デカルトの言葉ですが、「この世の中で確かである証のあるものは、存在しない、どんなものでも、疑うことができる。疑うことのできないただ一つのものは、今、自分が疑っている、ということ。それが確かである証の第一歩」という意味ですが、僕は、この「思う」の部分、「疑う」の部分は、「感じる」の意味ではないか、と思っています。

「我感ずる、故に我あり」

今日、僕たちの環境においては、まず情報があり、それについての思考がありま す。その後に心、という順番です。

このあたりに現代社会の問題点があるのではないか、と僕は感じています。

この点についても、後でゆっくりお話ししていくつもりですが、結論から言って しまえば、

「思考というのは、心が使うツール」

だと、僕は思っています。

デジタルヒューマンが変える未来

そもそも、この世界は人間の脳がつくり出しているものです。ですから、バー

●「ULTRA JAPAN」。毎年3月にアメリカのマイアミで開催されている世界最大級の音楽フェスティバル「ULTRA」の、日本での開催に奔走。2014年日本に初上陸し、以降2018年まで計5回、クリエイティブ・ディレクターを務めている。
2014年の初開催の時には会場の決定ギリギリのタイミングで、「都会のど真ん中でありえない景色を見せてこそ、奇跡を感じ、人生に希望を見出すことができる!」と会場変更を熱望。奇蹟的にお台場の「TOKYO ODAIBA ULTRA PARK（青海一丁目交差点横の駐車場）」での開催が実現した。

ULTRA
JAPAN

チャルかリアルかを対峙させることはナンセンスとも言えます。

また、ＳＮＳの匿名による誹謗中傷が問題になっていますが、だからと言って、匿名性の全てが悪いというのも別の話ではないでしょうか。

特に日本は、同調圧力が強いため、面と向かって人に意見を言うということが、とても難しい社会です。生身の人間が発言をすると、ハレーションを起こしてしまうことが多いのです。

そんなとき、デジタルヒューマンやアバターだったら、その問題を回避できたり、あるいは人生のメンター（助言者）になることができるかもしれません。


そういった意味で、僕は最近のテクノロジーは新しい社会をつくる素晴らしいツールになると思っています。

先にお話しした、「嘘を信じる力、虚構を信じる力を身につけたから」人間の文化が進化し維持できている、に通ずる部分もあると思います。そこでもお話ししましたが、バーチャルの世界で、現実の世界では決して変えることのできないルールを変えることができ、何通りのシミュレーションを行うこともできます。

身近な例で言えば、人に気を使い過ぎてしまう自分が大嫌いで、息苦しいという人は、新しい世界では、別の人間として生きることができます。

学校でいじめにあって、学校に行きたくない人は、新しいもう一つの社会で、新しい友達と勉強することだってできるのです。

AI（人工知能）の役割

五〇年程前までは、綺麗な写真を撮ることは、職人技が必要なものでした。シャッター速度、露出、被写界深度、色調温度など、たくさんのパラメータを決める必要がありました。ピントを合わせることを自動化するなど、絶対に不可能と思われていたのです。

そして、カメラに各種自動機能が搭載されていくたびに、多くの人たちが「邪道だ」「大切なものが失われていく」と言っていたのではないでしょうか。

しかし、今ではどうでしょう。スマートフォンで誰もが、美しい写真が撮れるようになりました。チャンスに敏感で、センスがある人は、たとえ技術的なことに疎くても、感覚でいい写真を撮ることができるようになったのです。

絵画においても、デッサン力が無くても、絵が描けるようになりました。

音楽演奏においても、指が動かなくても、ＭＩＤＩで演奏することができるようになりました。

人間にしかできないことだけに、集中できるのは素敵なことです。そして、それは、人間謳歌以外の何ものでもありません。

なかにはＡＩ（人工知能）を脅威と思っている方もあるかもしれませんが、そもそもその全ては人間の叡智の集積であり、活用次第では多くの人々にチャンスが訪れるのではないでしょうか？

そんなＡＩ（人工知能）が台頭してくる時代において必要なものは、「アート・センス」と「ハート・センス」だと思っています。美しいと思える美のセンスと、他者のことを思えるハートのセンスです。

ＡＩ（人工知能）が技術を補完してくれて、沢山の人が何かをクリエイトできるようになるには、数字やマーケティングなど合理的な判断だけではない、美のセンス＝アート・センス、そしてそれらを活用して世の中のためのものにしていく心のセンス＝ハート・センスが必要であり、センスを育むためには、やはりデジタル上だけではない自然との関わりが必要になってくるのではないかと思っています。

そう考えると、ＡＩ（人工知能）はある意味で、僕たちに本当の人間らしさを取り戻させてくれる役割なのかもしれません。

日本の重要な役割

世界を旅すると、沢山のことを学ぶことができます。

一六歳でニューヨークへと初めて一人で訪れた時、多様な価値観に衝撃を受けました。

横断歩道の真ん中でいきなり大声で歌ったりしても、上半身裸で一日中筋肉を見せつけている人がいても、誰も不審に思ったりしません。

そんなの常識的におかしいよ、といっても、他民族が暮らすニューヨークでは、その常識も多様です。

一方で自分の常識はどこから来ているか、というと自分が暮らす環境であり、もっというと友達とか職場の仲間とか、近しい周りの中でできてしまった常識です。

誰も自分のことを知らないニューヨークで「自分らしくしていいよ」と突きつけられた時、いったいどんな自分になりたいんだろうか？　と思ったら、急に自分のアイデンティティの無さに苦しくなったのを覚えてます。

インドに行くと、人として身に付けてきた全ての常識や価値観が、実は無意味なのではないだろうか、と思えてしまうような世界がありました。時間とは何か？　生と死とは何か？　別次元の世界でした。

世界の各地で、色々な経験をして、人として成長させてもらってきましたが、最大の収穫は何かといいますと、**日本は素晴らしい**、という「気づき」です。

その昔、海外から「ネーチャー（Nature）」という言葉がやってきて、その訳語として、自然という漢字があてがわれましたが、それ以前の日本は全てが自ずとあるもの、自然も人間も一体と考えられていました。

日本人には、本来そういった概念、つまり、人と人でないものを区別する概念が無かったのです。日本人が持っていた概念は、森羅万象とか、天地、万物、極端にいってしまえば人と神の境界線が無い世界観。自分と他人の境界線もあいまいな世界観です。

ですから、自分だけが幸せになる、とか、自分だけが得をする、という考え方は本来無いのです。周りの人が幸せであることが自分の幸せに必要なことであり、自分だけが得をして、周りの人から妬まれたとすれば、それは自分にとって得にはならない、ということを知っているのです。

一言でいうなら、「利他」。

こういった日本の文化が、世界の中心になって、地球を変えていくことは不可能なことなのでしょうか？

「大変」という字は大きく変わると書きますが、日本にとっても世界にとっても大変そうな時代だからこそ大きく変わるチャンスがある。

二〇世紀は物質、経済優先主義でしたが、二一世紀は「心の時代」とも言われています。

そんな変化の中で日本が非常に重要な役割を担うのではないか、と思っています。

二〇二五年（昭和一〇〇年）大阪・関西万博（EXPO 2025）に臨む心

ここまで、読んでくださった読者の方は、もうご理解いただけていると思います。イベントの世界では、僕たちは自由にルールを設定することができます。「日本の、利他の精神が、やがて世界に平和をもたらす」、という壮大な構想を実現するために必要なルールを、僕たちは設定することができるのです。

そのイベントの世界の中で、日本が世界を導き、和合していく情景を提示したい、と思っています。

そして、そのイベントを通し、世界中の人の心の中に、小さな種をまき、やがて、多くの人の心に根付いた僕たちの理念が、花を咲かせ、世界平和をもたらすことになりますように、というのが、僕の願いです。

●総合プロデュースを務めている未来型花火エンターテインメント。「STAR ISLAND」。日本の伝統的な花火とテクノロジーやパフォーマンスを融合させたイベントとして2017年からスタート。内閣府主催「クールジャパン・マッチングフォーラム 2017」の審査員特別賞も受賞している。
2018年からシンガポール政府観光局と組んで、シンガポールを代表するカウントダウンイベントを、さらにサウジアラビアの建国記念日でも開催、国内外で毎年大勢の観客で話題を集めている。

写真は2022年大晦日から2023年元旦にかけてシンガポールで開催された「STAR ISLAND」。

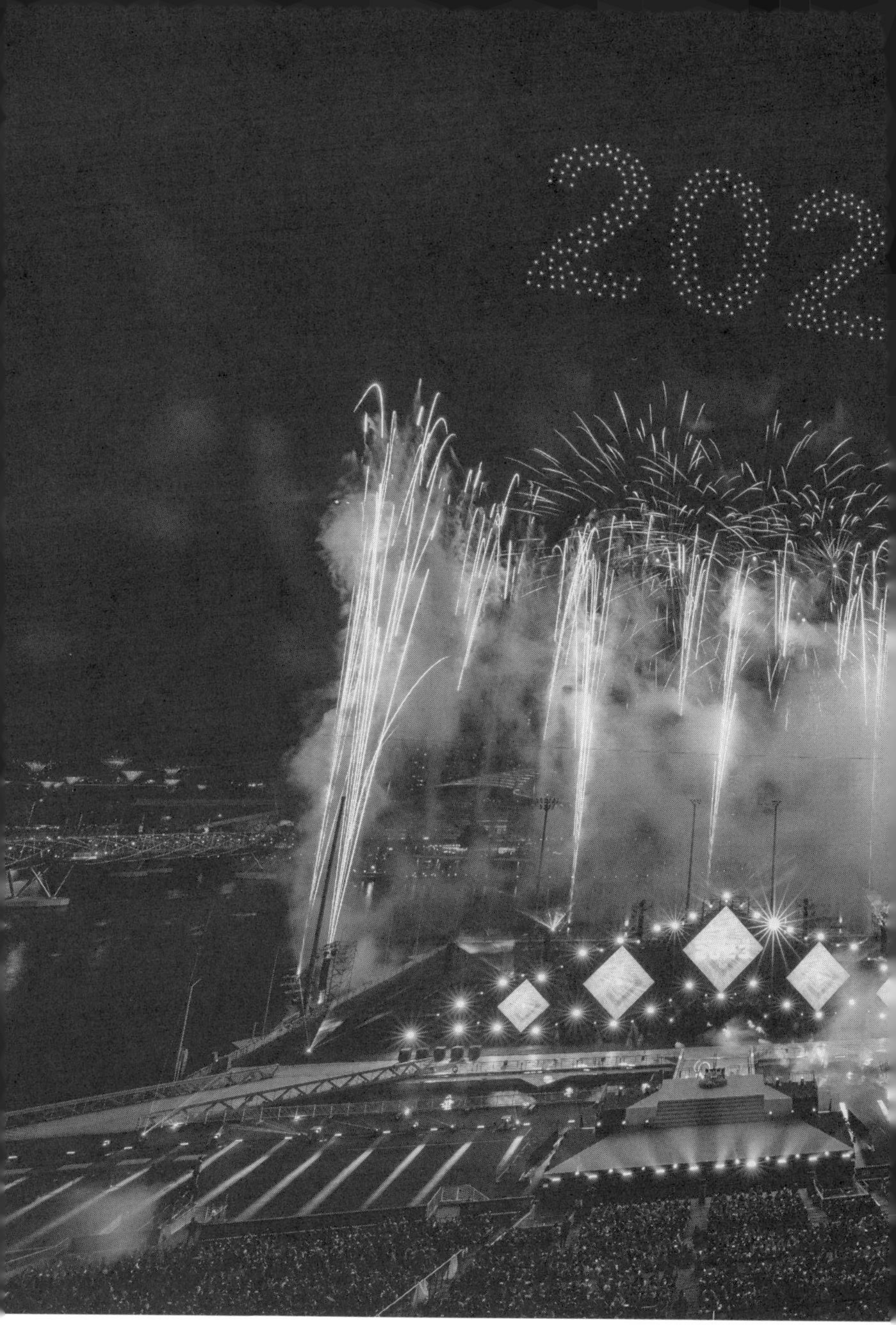
202

第1章 見方を変えれば奇跡の連続

二〇二〇パラリンピック閉会式

東京二〇二〇パラリンピック閉会式の「ショーディレクター（総合演出）」のお話が来たのは、開催のわずか数カ月前でした。「え、このタイミングで⁉」と頭では思っていたのに、体の方は全身鳥肌が立つような感じでつまりワクワクしていたのです。

頭というものは常に情報に左右されていて、思考で判断すると、まわりと比べた上に、否定的な結論に至りがちです。

しかし、僕は体で感じることは真実だと思っています。鳥肌は嘘をつかない！

それを信じてみよう、と引き受けることにしたのです。

ただし、やはり短い時間の中で行わねばならない、あらゆる条件、時間、お金、たくさんの人々が関わる国家的大事業。様々な人の思惑や思いも重なり合い、決して一筋縄ではいかないプロジェクトです。

僕が「ショーディレクター」という指揮系統にあるとしても、独りよがりでは絶対に上手くいかない。また、パラリンピックという多様な条件の人たちが集まっているので、簡単にはことが進みません。非常に困難な状況に陥った時に、いくらがいても状況が変わらないということは、自然界にも多々あることです。

だからこそ、僕は「ショーディレクター」という大役を引き受けるにあたって、一つのことを決意しました。〝全ての流れを受け入れよう〟どんな状況が来ても受け入れる！　ということを自分の中で決めたのです。

振り返ってみると、このことが結果的に全ての出来事を好転させてくれました。自分自身が変わることが、このプロジェクトにおいて、もう一つの僕のミッションでもあったのです。

そして、それを成し遂げて閉会式を作っていく過程で、奇跡の連続がたくさん起きました。思わず号泣してしまうような、素晴らしい光景を目の当たりにすることができたのです。

リハーサルの時に見た奇跡の瞬間

目の前に起きている現象というのは、全て自分自身の心が作り出しているものです。まわりで起こるいろいろな現象、何かトラブルが起きたとしても、それらは全て自分の心がそのように作り出しているもの。時には自分の心の中のモンスターが現実世界に現象として目の前に現れたりもします。たとえ自分に嫌なことを言ってくる人が現れても、実はその現象そのものは自分自身が作りあげているのです。

信じられない人もいらっしゃると思いますが、仮にそうだとしたら、一瞬はその相手を蹴ちらすことができても、それはまた大きく増幅して違う形でやって来ることになります。

物事とは本来、良いも悪いもなく、自分のものの捉え方次第です。

三〇歳を前にして職も失い、病気になったことで、今の自分がいるのであれば、その病気になったという事実の意味が未来ではまるで変わりました。

やはり、どんな時でも自分自身が変わること、自分自身の見方を変えていくことが必要です。

パラリンピックの閉会式を通じて、僕にも「自分自身が変わるのだ」というミッションがありました。閉会式を作っていく過程の中で、どうしても自分自身が変わらなければならなかったのです。

イベントという短期的な場では沢山の初めての人と関わることも多く、中にはいきなり僕にマウントを取ってくるような人だっています。

僕も人間ですから最初は反発する気持ちも起きます。しかし、相手には相手の視点があるので、逆に僕が一歩引いて「申し訳ないね」と相手と対峙したことで、解決へと導かれたこともありました。

そういう一つ一つの事象が繋がっていった時、ある時ふっとリハーサルで、もし僕がいちいち反発していたら見えなかったであろう景色に出会えたのです。


僕のことを、大きなイベントをやっているのだから百戦錬磨で、決断力もあって、横柄な人間だろうと勝手に想像しているスタッフだっています。

人は結局、自分たちの常識の範囲で勝手に相手のことを想像し、その上で相手を威嚇したりしています。でも、実は本音のところでは違っていたりします。

ですから、僕が「そんな思いをさせてごめんね。僕も暗中模索で、悩みながらやっているから」と言ったりして、「あなたでも、そんな風に悩んでいるのですか」と相手が気づいた時、その心の中もぱっと変わります。「いつも、そんな風に思っていたのですか……」というように。

そうやって進んできた中で、リハーサルの時にぱっと見えた奇跡のようなその瞬間に、僕は隠れて号泣しました。もし僕があの時に反発していたら見えていなかっただろう景色に、ただただ感動だったのです。

そんな一つ一つの、見方を変えたことによる奇跡の連続が、閉会式をつくっていく過程の短い時間の中で凝縮されて起こったのです。

全ての流れを受け入れよう！

パラリンピック閉会式の仕事は、最後の最後まで映画のように波乱万丈で、ハラハラドキドキでした。神様は、これでもか！　これでもか！　というくらい試練を与えてくれます。

リハーサルには、いろいろな方たちが関わっているので、突然来られなくなる人もいて、全員が揃うことがほとんどありませんでした。閉会式は夜なのに、コロナ禍で借りようとしていた会場が夜には借りられず、日中にリハーサルをやるしかなかったですし……。

たった二回しか予定していない「ドレス・リハーサル（本番通りに衣装をつけて、通し稽古をするリハーサル）」も、その貴重な一回が雷で中止になってしまったのです。

「向かう先には逆風しかない」という、まわりの空気がありました。

本番を迎える直前なのに照明がとび、土砂降りの中で照明を直していると、今度は停電。明日は本番なのに「もう間に合わない！」と、まわりはまさにカオスでした。怒鳴り散らしている人もいるし、全員が「これで本番、大丈夫？」みたいな雰囲気です。

そして、本番当日の天気予報も七、八〇パーセントの確率で雨でした。

もし、僕がそちらの状況に意識のチャンネルを合わせてフォーカスしていたら、多分そちらのシナリオの方へ持って行かれてしまったかもしれません。

しかし、その時、僕はふと我に返ることができました。

今、自分は目の前に起きている現象に対し一喜一憂しているけれど、「全ての流れを受け入れる」と決めたのではないか、と。

それにもかかわらず、雨がダメだとか、まわりに起きているカオスがダメだとか、ジャッジしてしまっている。

それでは、全てを受け入れるということにならないではないか。

だから、「全て受け入れます。雨でも、きっと雨の良いストーリーがある。今のカオスもＯＫ、全てを受け入れる」と、自分に言い聞かせました。

逆に言えば「目の前の現象にはフォーカスしない」と決めました。投げ出したのではなく、気持ちを持って行かれないようにしたのです。

人事を尽くして天命を待つ

スマートフォンの天気予報も見れば一喜一憂してしまうので、もう一切見ないようにスマートフォンの電源もオフにしました。そう、どんな天気も受け入れよう、と決めたのです。

天気予報を見るのをやめたら、驚いたことに昼間リハーサルをしている途中で天気が好転したのです。国立競技場の上に青空が見え始め、みんなから「すごい！」と歓声が上がりました。そして、そのまま晴れ渡った。

本当に、こういう奇跡が起きるのです。

「強く思えば良い」という話ではないのかな、とも思います。むしろ「手放す」というか、「執着しない」ということが必要なのでしょう。「人事を尽くして天命を待つ」とか「行雲流水」とか、昔の人の言葉はその通りだな、と思います。「晴れろ、晴れろ」と願っていたなら、それは執着であり、渇望です。どんな流れでも受け入れる、ということが重要なのです。


答えというものは、いつもその瞬間、瞬間にあるものではありません。人間は勝手に三次元の空間、四次元の空間と時間軸の中で、これが答えだと設定しているだけなのです。

もし本番が雨だったとしても、それにはそれのシナリオがあったはずです。だから、本当にどっちでも良かった。

「どっちでも良かった」というその場所に、自分の心が辿り着けたことが一番良かったのだと思います。

『What A Wonderful World（この素晴らしき世界）』こそ真実

気づいたら、東京二〇二〇パラリンピック閉会式のテーマは全て、最後に演奏された名曲『What A Wonderful World（この素晴らしき世界）』に象徴されていました。

「ユートピアみたいな素晴らしい世界をこれから創ろう！」と夢物語を描くのではなく、今この瞬間にも、見方を変えれば、既にこの世界は美しいのだ！　という「気づき」です。

『What A Wonderful World』はベトナム戦争の時にできた曲であり、「青い空が見え、白い雲がある……」とただ単純な日常を歌っているだけのようです。しかし、最後に「なんて素晴らしい世界なんだ！」と締めくくります。

そう、この世界は見方を変えれば、すでに十分素晴らしく、美しい！

小さなヒントを拾っていく、小さな出会いを積み重ねる

今、自分自身の内側を見つめていけば、全てに生かされていることに気づく、本当にただそれだけでいいのです。

そのような、本当の「内なる幸せ」に気づいていけば、あれよあれよという間にいろいろな人がヘルプしてくれて、自然に良い道へと導かれることになるのです。

リハーサルの時に、スタッフの一人が見せてくれた『What A Wonderful World』

の映像を、僕もたまたま見ていて、「あ、これだ！」と決めました。閉会式の演出も、全てを僕が決めているのではなく、小さいヒントを拾っていくというか、たくさんの出会いの積み重ねです。

人生の中でも、小さな出会いがいつの間にか大きくなることがあります。とくにイベントのような限られた時間の中では、小さな出会いがいっぱいあります。それをいかにして拾いあげるかが重要なのです。

全部を自分で決める、という演出家の方もいるのかもしれませんが、僕の場合は誰かがふと言ったことを「それ、いいね」と一つ一つ拾い上げていく感じ。最初に全てを決めず、小さなことでも、それをいかに拾えるか、ということを大切にしています。

第2章 僕たちには無限の可能性がある

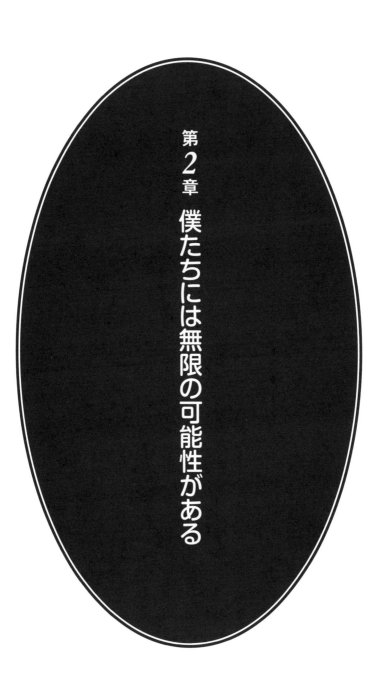

全ては「気づき」から始まる

かつて、理論物理学者であるアルベルト・アインシュタインはこう言いました。

「人生には、二つの道しかない。一つは、奇跡などまったく存在しないかのように生きること。もう一つは、全てが奇跡であるかのように生きることだ」

これは、ものの見方の話です。

同じことが起きても奇跡だと思って生きるのか、単なる偶然だと捉えるのか。一見すると悪いと思えることに対して、ただ嫌悪するのか、逆にラッキーだと奮起するのか。あくまでも、人それぞれです。

本当のところは、物事というものはすべて中立であり、良いも悪いもありません。

自分がどう捉えるのか、どう思うのかで、その答えも変わってくるのです。

僕は会社のビジョンに「全人類が自分自身の人生を創るクリエイターとなり、輝く星のように生きること」を掲げています。

自分の人生をクリエイトするということは決して「大きな奇跡を起こす！」ということではなく、日常の小さな奇跡、自分が起こした小さな奇跡に気づいて、行動する。

そうして自分自身にしかつくれない物語をクリエイトしてほしい、と思っているからです。

そんな自分の物語を歩むには、思考と常識で固められたいつもの枠組みが外れることが大切です。

もちろん今の環境を離れ、世界を旅できたりしたら、それは大きく変わるのかもしれませんが、物理的に難しい人も沢山いると思います。

そんな人にもおすすめなのが一日一回、想定外のことをしてみることです。

自分の日常を少しだけ変えてみるのです。普段だったら行かない場所へ飛び込んでみる。例えば、いつもとは違う行き方をしてみるとか、自分だけでは絶対行かないようなお店に入ってみる。スナックでも、バーでも、カフェでも良いのです。普段、絶対行かないお店に入ったことによって、そこでたまたま聞こえた会話や、たまたま見たテレビの情報に興味が向いて、「今度やってみよう！」となるかもしれない。

だからと言って、すぐに何かが変わるわけではないし期待しすぎないこと、少しずついろいろなことが積み重なっていって、ふと気づいたら、そんな出会いの中で自分の人生が変わっていた、ということが起きるかもしれない。

もちろん、起きないかもしれない。でも、そういうことが、どこでどう繋がっているかはわからないのです。

アップルの創業者スティーブ・ジョブズも伝説のスピーチで「コネクティング・ザ・ドッツ（connecting the dots）」と語っています。何とも思っていない小さな目の前の点がいつしか繋がっていき、大きな変化を起こすことになる。そして振り返った時、「最初の点は、あんなに小さなことだったのか」と思うようなことになるのだと。

それは例えば、一見すると電車に乗り遅れるという嫌なことでも、それによって生まれる出会いもあるのです。そのように考えていくと、「あらゆる出来事が奇跡ではないか」と思えます。

映画やテレビを見すぎて大きな奇跡ばかりを期待し、そうでなかったからと喪失感を感じるのは間違いです。

目の前の小さな奇跡に気づいていく。それが、本当の「気づき」なのではないでしょうか。

日常の中に「気づき」がたくさんある

人は、日常の行動パターンが変わり、そして思考パターンが変わらないと気づけないものです。何かが変わったからこそ、ハッと気づける。

だから、時には日常のルーティンから外れてみましょう。例えば「ワクワク」も、それこそ「枠」から外れるからこそワクワクするのです。自分の中の想定外に出会うからこそ、何か気づくのです。

もちろん世界へ飛び出していって、いろいろな国々で気づくこともあります。環境が変われば常識も違うので、時には自分にとって不条理なことが起きたり、ハプニングが起きたりします。


良いも悪いも、環境が変わるからこそ気づくことができます。

しかし、自ら行動を起こすことによって気づくこともありますが、そうでない場合もある。例えば、物理的には海外へ行かれない人もいますが、ではその人に気づく機会は無いのか。そうではなく、実は気づくことができる場面は日常の中にたくさんあるのです。自ら行動して、環境を変えるばかりが、気づくきっかけではないということです。

自分にとって予測もしていない出来事、不測の事態、病気になるとか、リストラにあうとか、もしかしたら失恋かもしれない。小さなことなら、電車に乗り遅れることかもしれない。そういう出来事によって、いろいろな時間軸や環境が変わっていき、その中で気づくことがいっぱいあるはずです。

そうなった時に出会えたもの、時間のズレによって出会える人もいます。偶然エレベーターでばったりとか、そういうことに目を向けていく。

今日は体調が悪いなとか、あるいは病気になってしまった、そのような環境の変化よって気づけることも沢山あるのです。そこから学びが始まっていきます。

自ら行動して「気づき」を得るのは、もちろん素晴らしいと思います。でも、それは誰もができるわけではなく、本来は、日常の中で起きることに、小さな「気づき」がいっぱいあるはずなのです。

ネガティブな出来事が自分を変えてくれる

タイトルだけ見ると、え？　と思うかもしれません。

しかし、これまでの人生を振り返ると、自分が一番大きく変わることができた契機は、意外ですが一見するとネガティブなことが多いのです。

例えば、僕の場合は三〇歳前に肝臓をこわして、死の手前にあったこととか。それによって、「自分の三〇歳の誕生日をセルフプロデュースする」という一つの目標を掲げたのです。

そして、身体を鍛え病気を治し、三カ月で「人生最高の身体」を手に入れ、友人たちをもてなす誕生日会を主催しました。それがきっかけで、今のクリエイターの仕事にも繋がっていくのです。

そう考えていくと、病気になったという点はありがたいことだったわけですが、渦中にいる時はとてもそのようには思えませんでした。

もちろん、良いことや目標を立てることで人は変われると思うのですが、情報社会の中で頭で決めた目標が、自分にとって本当に正しいかわからない。一見すると不条理なことで、導かれるように人生が大きく変わっていくこともあるのです。

思わず興奮してしまうような良いことより、ネガティブな予期せぬ出来事の方が変われる理由、それは自然の力というものが強引に進む道を教えてくれているからでしょうか。

僕は「自然や、宇宙は、本当は完璧なシナリオを用意してくれている」と思っています。つまり、一見すると自分にとっては不都合な出来事も、「実はお前はこっちだよ」と自然界がそちらに運んで行ってくれているのだということです。

実験だ、と思ってそういうことをチェックしていくと、本当にちゃんとそういうことになっている。四次元空間の中でのことですから、それは一週間後かもしれないし、一年後かも、もしかしたら一〇年後かもしれませんが、全てがきちんと繋がっていくのです。

例えば、自分の頭で考える「喜び」というものは、他者から見ての自分とか、自分の社会的なポジションとか、情報として得られたものが基準となります。その基準に基づいて「よく自分がこれに受かったな」とか、「こんな仕事が手に入って興奮する」とか頭で判断しているわけです。

ところが、実際に体験してみると、すごいと思っていたものが、それほどでもなかったりもします。むしろ、自分にとって最悪だと思っていたことの方が、結果として良かった、といったことは多々あります。

世界を襲ったコロナ禍においてもそうです。僕はイベント製作会社をやっていますので、予定していたイベントが全部無くなってしまって、物質面だけを見たら大変な事態です。三次元では、仕事もお金も無くなってしまいました。

だけど、コロナ禍だったからこそ得られたものもあります。素晴らしい人々との出会いがあり、生き急いでいた時間を巻き戻してくれましたし、時間ができて日本全国をよく回るようになり、日本に対する「気づき」を得たりもしたのです。

それまでは年間半分くらい海外へ行って、海外の魅力を取り入れ、それを日本で形にしていくということをしていました。しかし、今は自然も含めて、日本はこんなにすごいのだと実感し、逆に日本の魅力を世界中へ発信していきたいと思っています。

そうこうしているうちに、地方創生のお仕事とか、都市開発や、パラリンピックの閉会式のお話が来たりして、大阪・関西万博の催事企画プロデューサーのお仕事にも繋がっていくのです。

このように、あらゆる出来事が、振り返ってみれば「あの時、起きた出来事に感謝！」ということになります。ですから、必ずしも起きたことが悪い、とは言えないのです。

自分のアイデンティティも環境が作っている

僕が一六歳の時、初めてニューヨークへ行った時のことです。マンハッタンという東京の世田谷区よりも少し大きいくらいの面積に、様々な民族の多種多様な人々が暮らしています。

本当にいろいろな人たちがいます。巨大なポテチを食べながら、巨大なダイエットコークを飲んでいるおばちゃんが駅のホームに座っている。一日中、街角に立ち、裸になって自分の筋肉を見せている男性もいる。いきなり歌い出すおじさんもいれば、踊り続けている若者たちもいる。

そういうことの全てが、日本の一般常識からすると「あんな奴はおかしい！」「こんな奴は変だ！」ということになります。

しかし、マンハッタンには世界中のいろいろな国々の人がいて、全員の常識がそれぞれ違うのです。それに対して、みんながいちいち「お前は違う」とは言いません。

その時、僕はふと考えました。もし「お前もこの中で何でもやって良い」と言われたら、自分は何をするのだろう？　と。

例えば、「街中で歌うのは恥ずかしい」と思っているのは、日本にいるという環境の常識に自分を当てはめているからであり、だから「恥ずかしい」だけです。ここでは僕が俳優であることを知っている人などいないのだから、誰もまったく気にしていないのです。

つまり、マンハッタンでも僕は、日本での常識に縛られて考えている、ということに気づきました。そして、僕のアイデンティティとは何だろう？　と考えました。

自分が思っていた「これが良い。これがいけない」ということは、結局のところ全て、自分が日本にいるという環境の中で勝手に作られたアイデンティティです。

「何をしても良いよ」と言われたとして、その時「僕は、本当は何をしたいのだろう？」と突き詰めて考えていったら、ものすごく苦しくなりました。自分のことがよくわからなくなったのです。

「自分のアイデンティティはこれまでの環境によって作られている。だとしたら一体、自分は何がしたいのだろう？」と、ニューヨークでずっと自問自答していたのをよく覚えています。

「気づき」を得るため、自分が本当にやりたいことを見つけるためにも、やはり多様な価値観と出会っていくことはすごく大事なことなのだと思います。

「ここでは何をやっても良い」と言われた時、あなたなら何をしますか？

イベントが「気づき」を与えてくれる

この世界を突然変えることは、物質的、物理的には難しいことです。例えば、突然法律を変えるとか、突然ビルを建てるとか、突然社会を変えることはなかなか難しいことに違いありません。

しかし、人の心は移り変わっていくものだし、自分自身も毎日変わっています。日々、この瞬間この瞬間にも、自分自身を創造しています。

ですから、人の心、ものの見方が変われば、この世界は美しく素晴らしい、という真実にも気づくことができます。


僕には、街や法律を変えることはできませんが、「個」が何かに気づくために、小さな輝きに気づくきっかけは作れるのではないかと思っています。

だから、僕はイベントというものを手がけてきました。イベントの中の短い時間でしたら、社会ではできないことが実験できます。

いきなり壮大な街は作れないし、社会のルールは変えられませんが、イベントの中でのルールでしたら変えられます。もう一つの場、日常ではない「非日常」が創れるのです。

そういう非日常の場では、本当の魂の部分、自分の中で閉ざしていた「本当の自分」とか、自分の中の奥深くにある魂に触れることがあります。そして、懐かしい感覚や「こんな自分がいたのだ」ということに気づいていけるのです。

そういう人々の一歩一歩から、世界が変わっていくということはあるのではないでしょうか。

とくに、日本人は相手の心がなんとなく読めてしまうが故に、他人を気にしてしまって、ついネガティブな方へと行きがちです。それは、日本語にも顕著に表れています。日本語は、相手の顔色を伺いながら最後に結論を変えられるのです。

例えば、英語であれば最初に「I want（私はしたい）」と結論を言ってから、その後に言葉を続けますから、相手の顔色を伺う余地はなく、確固とした主張になります。

ところが、日本語の場合、結論は最後、良い風に捉えるなら、お伺いすることができるとなりますが、ネガティブに捉えるなら相手を気にしてしまう、ということになります。

だから、日本人は日常的にもまわりの目を気にしていて、同調圧力の中で「本当の自分」を見失っている人が多いのではないでしょうか。

しかし、圧倒的な感動体験とか、我を忘れて楽しんでいる時、ふと自分の中で閉ざしていた自分、まだ見ぬ自分というものに触れる機会が訪れます。

僕は、そのためにイベントというものがあるのかな、と思っています。イベントによって、いきなり世界の全てを変えることはできませんが、「個」の「気づき」を作ることはできると思うのです。

例えば、パラリンピックの閉会式にしても、たまたまテレビのチャンネルを合わせた人にとっての、自分の内なる「気づき」に繋がればいい、という思いはすごくありました。

良いことも悪いことも自分の心が作っている

インドを三カ月間、旅した時、僕はあることを実験してみました。海外を旅行していると、旅先では普段とは異なる常識があり、様々なことが起きて、その反応も速いからです。

インドは僕らの常識からしてみると、まさにカオスです。非日常、非常識なことがいっぱいあります。

例えば、僕が道を訊ねたとして、観光客を相手にしているインド人は道を教えることが親切だと思っているので、道を知らなくても教えてくれます。だから、詳しく説明してくれた通りに歩いていっても、一向に辿り着かないという事態に陥ります。

目的地が見つからず、僕が戻って「無かったよ」と言うと、平然と今度は反対側を示します。それでも、やっぱりまた無くて、戻ってきて文句を言うと、今度はへらへらとただ首を振っているのです。

また、国営のような電車であっても予定時間が遅れに遅れ、一〇時間も来ないという事態だってあります。そういうありえないようなことがインドではいっぱい起こるのです。

最初は僕も腹が立って、イライラしていたものです。

ところが、ふとまわりを見渡すと、誰もイライラしていません。電車が一〇時間遅れても、誰もイライラしていないのです。

どうしてだろうと考えて、はっと気づきました。電車が一〇時間遅れたって、彼らの常識の中では当たり前なのです。生まれてからずっと、そういう世界で生きているわけですから。

つまり、僕がインドを自分の常識にあてはめて考えているから、腹が立ったりイライラすることになってしまう、ということです。それなら、僕の方が自分の常識を変えてみよう、と思いました。

電車が遅れてイライラするのは、日本では電車が遅れないのに、と思っていて、それに当てはめて考えているからです。だったら、「電車が遅れてラッキー！」と思うようにと、自分の常識を変えてみました。

すると、電車が遅れたことによって目的の場所へは行けませんでしたが、止められた街で、たまたまやっていた四年に一度のインド最大のお祭りに参加することができたのです。まさに、これを僕に見せてくれるために電車が遅れたのか、と思えた現象です。

それからというもの、自分の常識を変えることによって、そういう不思議な出来事がたくさん起こるようになっていきました。

インドの旅での実験をへて、「結局は良いも悪いも全部、自分の心が作り出している」という「気づき」を得ました。全ては自分の常識が作り出しているものなのです。

その常識は、自分のいる環境によって、知らず知らずのうちに作られていますから、そうではない多様な価値観と出会えば、良いことも悪いことも変わっていきます。

だからこそ、自分のいる環境を離れて、多様な価値観と出会うこともすごく大事だと思います。

インドの旅の途中でFacebookのミッションを確信したザッカーバーグ

Facebookの創業者マーク・ザッカーバーグが起業したばかりで悩んでいた時、アップルの創業者スティーブ・ジョブズに会いに行き、「インドへ行け」と言われたそうです。ザッカーバーグはそのインドの旅の道中で、混沌としている中でも人々が繋がりあっている姿を見てFacebookのミッションを確信したと言われています。

ジョブスや、ビートルズなど、偉大なる先人達を魅了し続けているインドとは何なのでしょう？

旅の道中で出会ったある人が言いました「世界が変わっても、インドはずっと変わらないよ」。

その昔、アレクサンダー大王がインドにやって来て、インドを変えようとしたけれど、変えることはできませんでした。英国もインドを変えようとしましたが、変わりませんでした。

人口は世界一、全インド人が何かしらの神を崇拝し、世界一の菜食主義国で、ＩＴや経済でも世界に大きく影響を与えているインド。しかし、その一方で、いまだに路上には物乞いが溢れています。ボロボロの電車やバスに箱乗りし、信号なんてないに等しい交通ルールで、列での横入りなんて朝飯前。

過去と未来が同時に存在しているような、まったく秩序もへったくれもないように見えるインド人は、日本人の常識では理解しづらいし、軽い気持ちで観光に行くと、ありえないことの連発で打ちのめされます。まったくもって、どうやってこの国が成り立っているのかつかめないのです。

だけど、そんな常識でははかれない、このインドで起きる全てのことをどう捉えるかが、大げさではなく人生を歩む上でのキーなのだ！　と、そのような特訓をされている感覚にもなる、不思議な国がインドなのです。

二〇一五年一二月、僕は三六歳にして、単身でバックパック一つと現金二〇万円を身体中に隠して、三カ月間インドを旅しました。インドでの三カ月間の旅で、印象に残る「気づき」をいくつかご紹介しましょう。

一歩一歩進むことで、想像もしなかった場所へと辿り着く

インドのムンバイ国際空港を出たその瞬間から、耳をつんざくようなクラクショ

ンが街中に鳴り響いていました。信号なんて無いかのように、少しでも隙間があれば平気で逆走し、当然車間なんてほとんどありません。

車もバイクも人も、全てのものが前へ前へと突き進もうとします。ちょっとでも気をそらしたら、四方八方から車やバイクがやって来るので、インドの街は歩くのも一苦労です。

南米でもそうでしたが、交通ルールがほぼ皆無みたいな国の人々は、動物的な感覚で動いています。逆に安心・安全な国で感覚を閉じている自分の方に、むしろ危機感を覚えるくらいです。

僕が旅をする理由の一つは、自分の国では当たり前だと思い込んでいる常識が通用しない国に行った時に感じる危機感、それこそが自分の内で閉じていた動物的な感覚を開くということもあるからです。

インドでは三カ月間、行く当てもなく、彷徨いながら一歩一歩進んで行きました。

飛行機であれば三〇分で行けるところを、あえてボロボロのバスで何日もかけて走り、心地良いベッドで寝るよりも三〇〇円の安宿を選んだのです。気づけば想像以上に多くの場所へ行き、おかげで様々な人や景色に出会うことができました。きっと人生も同じです。一つ一つ出会った出来事を噛み締めながら、一歩一歩進むことで、想像もしなかった場所へと辿り着くのでしょう。

綺麗な景色、美しい場所は世界に沢山あれど、何度も見ていれば、やがて感動は薄れていきます。だからこそ、そこへ辿り着くプロセスに本当の価値が生まれるのです。

簡単に成功、簡単に感動。そんな簡単なものに、どれほどの価値があるでしょう？

インドの一般の生活を垣間見てみると、一見不便そうなことや貧しそうに見えることが、実はそうでもないのではないかと思えてきます。

みんな、早いうちに家庭を持ち、生涯の時間を家族と共に生きるために費やします。インドにはいまだカースト制度が一部根付いていて、生まれながらにその身分が変わることはないとも言われているので、他を望むことがないのかもしれません。

その一方で、観光地なんかにいると、商売とはいえ、いかに観光客から、ぼったくるかを競い合い、時には商売人同士で衝突しています。我々旅人に無情な態度で迫ってくる輩もいるのです。

そのために、この国が大嫌いになる人も少なくないのですが、自分たちのような生活の違う旅行者の介入のせいで要らぬ欲望が生まれ、競い合うことを覚えてしまったのではないか、と少し罪悪感も感じてしまいました。

どんな環境の中でも生き抜く強さを教えられる

デリーは今や、中国も追い越す勢いで空気汚染が深刻だそうです。実際、滞在中も街中に粉塵が舞っていて、かなり喉が痛くなるほどで、明らかに空気は汚れていました。

インド人にそれを訊ねると、生きることの方が大変だから気にしていられない、という答えが返ってきます。世界的にもこの環境は問題になっていますが、先進国に追いつきたいという途上国の思いが、環境をさらに悪化させていると考えると、何だか解決の糸口の見つからない迷路に入ったようです。

このままいくと本当にどうなってしまうのか、という不安はインドを旅して何度も感じました。

しかし一方で、どんな環境の中でもあっけらかんと生き抜くインド人の様子には、驚くばかりです。空気汚染、貧困問題……、都市部であっても交通網はめちゃくちゃなのにも関わらず、平然と生活している彼らの姿を見ていると、生きる強さのようなものを感じます。

デリーから深夜特急を利用して、僕はシク教徒の聖地アムリトサルへ行きました。

世間が抱いている、ターバンを巻いたインド人のイメージは、このシク教徒がモデルのようです。ただし、実際には人口の数パーセント足らずで、街にターバンを巻いている人の姿は多くはありません。

その昔、シク教徒が積極的に貿易に関わっていたため、外国人から見るインド人のイメージがターバンを巻いた姿になったのだそうです。

そんなターバン姿も、シク教徒の聖地アムリトサルにいると、数多く見かけることになります。アムリトサルには「ゴールデンテンプル」と言われる黄金の寺があり、インド全土のシク教徒が聖地巡礼に訪れているのです。

それだけでなく、シク教はどんな宗教の人間でも受け入れ、寺院とは思えない素晴らしいホスピタリティを提供しており、様々な人種の人間がその善意にあやかろうと寺に来ていました。

ざっと見ただけでもシク教が提供しているホスピタリティは無料の食事（一日三万食）、無料の宿泊施設、無料送迎に、無料インターネット、無料のトラベルエージェンシーまであり、そのサービスには正直かなり驚きました。その中には外国人専用の無料宿泊施設まであり、なかなか綺麗で居心地の良い空間で、二四時間ホットウォーターまで使えました。

どこの宗教にも属さない僕ですが、これだけの人々を助けているのを目の当たりにすると、宗教とは何なのか？　何のためにあるのか？　と考えずにはいられませんでした。

インド人のほとんどが何かしらの宗教を信仰しているので、旅の道中でもよく「君は何教を信仰しているのだ？」という質問をされました。インドにおいては、何もないと答えるのがちょっと恥ずかしくなります。信仰がなくとも、寺や神社に出向く日本人は、世界から見るとよほど奇妙な民族なのかもしれないと気づかされます。

僕自身は、強いて言うなら自然信仰というか、この宇宙に存在する全てのものが神であり、真理こそ神だと思っていたのですが、この様々な信仰のあるインドで、人類にとっての宗教の意味を徐々に考えるようになっていったのです。

善悪、両極を知る幅が広がるほど大切なことがシンプルに見えてくる

最近は「脱都会」ということで、都会を離れ、田舎の自然と共に生きる生活を選ぶ人も増えてきています。それはそれで人間として生きる上でとても素敵なことだと思うし、僕のまわりでも実践し素晴らしいライフスタイルを送っている人々も沢山います。

僕自身も少しだけ東京を離れて生活を始めてみました。そして、大自然から都会へとあえて行き来することで、都会の混沌とした中で、テクノロジーがもたらす良い面と悪い面、人々の善悪の両極を肌で感じながら、自分がこの世の中で何をすべきかを考えたい、と思っています。

あえて俗世間から離れず、時に社会の闇をも感じながら、旅をしたり自然に触れたりすることで、この両極のバランスを見続けたいとも思っています。

良い面も、悪い面も、両極を知る幅が広がれば広がるほど、人生にとって大切なことがシンプルに見えてくる気がしてなりません。

インドに行って、人の考え方や生き方にこれだけ多様性があるのを肌で感じると、自分が持っていた固定概念なんてものは、いとも簡単に崩れ去ってしまいます。

生と死、善悪、貧富、環境問題……、道路を走るベンツの横には野良牛や物乞いが溢れていることもあり……、大昔と未来が常に並行し、地球上にある問題の全てが同時にあると言っても過言ではない。そんなインドは、そのような両極を知るのにこれ以上ない環境かもしれません。


この地で起きたことを悪く捉えれば、負の連鎖は始まるし、全て受け入れれば素晴らしい出会いの連鎖が始まったりもします。

普通に生きていたら数カ月に一度あるかないかの問題が、インドでは一日に何度も起きるので、一〇〇〇本ノックのように自分の思考が試されることになります。

一瞬一瞬の出来事の捉え方を変えて、素晴らしい未来に繋げる

また、インドを旅して思ったのは、人生が一瞬で変わるなんてことは妄想で、何事もいかに変化する状況を自分自身がどう捉えるかによって、その意味も変わってくるのではないか、ということでした。

例えば、「事故を起こして人生が変わった！」という人は、別に事故が起きた瞬間に変わったわけではなく、入院生活の中で死と向き合ったことで思考が変化し、その変化した思考に慣れていったのでしょう。

何か悪いものに手を出してしまった人も、最初はいけないと思いながら「一度くらいは」と、ほんの小さいきっかけから始まって、「あともう一回だけ」という思考にも慣れていって、気づくとそれ自体が悪いことであることすら忘れてしまった

のではないかと思います。

「人生を変えたい！」とか「何かをつかみたい！」と未来を考えるよりも、今という時に常にフォーカスして、その一瞬一瞬に起きる出来事の捉え方を変えていく。

そして、それに慣れていくことの方が、よっぽど素晴らしい未来に繋がると思います。

そういうことに気づいていく地として、インドは最適な場所なのです。

「TOKYO MOTOR SHOW 2019:CONTACT」
2019年の東京モーターショーでは、500機のドローンを使用した夜空のスペクタクルショーを仕掛け、翌年「第6回JACEイベントアワード」最優秀賞・経済産業大臣賞（日本イベント大賞）を受賞。国土交通省東京航空局、海上保安庁第三管区海上保安本部東京海上保安部、東京都港湾局等による許可、承認、指導の下、実施した。

写真提供／一般社団法人日本自動車工業会

第3章 本当の自分に出会うこと

今こそ、日本人の魂の目覚めを！

二〇二五年の大阪・関西万博（EXPO 2025）もそうですが、全世界へ向けて日本人が本来持っていた文化を発信したいのです。そのためには、日本人みんなの魂が目覚めること。そこにフォーカスしたい、と思っています。

「今、日本人みんなが、本来の自分らしくしているのか」というと、少し違う、と思うのです。

やはり情報化社会、物質文明の中でどこか何か囚われていて、本当の自分を見失っているような感じです。

そのような状態も否定するわけではありませんが、脈々と受け継がれてきた魂の根底にある、長い歴史の中で培ってきたものもあるはずなのです。

ところが、みんな、認めたくない、見たくないから、否定している。あるいは、見えない現実を肯定しているのだと思います。

しかし、日本人が本来持っていた心の部分に気づいてぱっと目覚めた時、一斉に日本全体が変わることがあるのではないかと思います。

日本人は突然シンクロニシティを起こしたように、人気ショップ、デザート店やラーメン店にどっと並び始めたりします。あの感覚はすごくて、気づいた瞬間にはパーっと一斉にそちらへ行っている。

そのような日本人の魂の目覚めが、二〇二五年を起点に起きると良いと思っています。

自分にしか創れない物語・人生をクリエイトする

僕は息子の名前を「エイト」にしました。この「エイト」はクリエイト（創造）

のエイトでもありますし、8（エイト）は無限の可能性を表す数字でもあります。無限の可能性をクリエイト（創造）して欲しい、という思いを込めた「エイト」なのです。

僕は息子に、自分の人生を自分自身でクリエイトして欲しいと思っていますが、まだ幼い息子に対し何ができるかといえば、多様な世界を見せてあげることだと思っています。

「こんな勉強をしなさい」ではなく、いろいろな世界を見せて、「自分が良いと思う、自分の宇宙を創りなさい」という風にいつも話しているのです。

ただし、多様な世界を見るために、海外へ行かなければいけないとか、そんなことはまったく考えていません。

多様な世界は、一見すると自分にとって不条理なことや苦手なこと、嫌いなことだったりするかもしれません。だとすると、苦手な人と話をしてみるとか、恥ずかしくてずっと会話を交わしていなかった父親と盃を交わしてみるとか、できることはいっぱいあります。

目の前に起きるトラブルもそうです。それに対し、自分の心をどのように変えて対処していくのか……。そういうところに、いろいろな気づきがあるのではないか、と思います。

多様な世界は、実は目の前にもあるのです。


遠い何かを求めたり、とか、ちょっと昔に流行った「突然脱サラして人生を変える」とか、「世界一周に行けば変わる」とか、そういう思考自体がもう情報に囚われているのではないでしょうか。こうすれば変われる、という概念に囚われているのです。

それらは、すでに誰かが作り上げた概念に過ぎません。もちろん、それで変われるなら、それはそれで良いのですが……。


人が何か目標を立てた時、そこが自分が行くべきところなのかどうか、本当のところは自分でもよくわかっていないことが多々あります。もしかしたら、まわりを意識した中で作り上げられた、偽りの目標かもしれないのに。

目標に縛られて、ただただ前へ進んでいると、人生がガチガチに決められた旅行のようになってしまいます。予定に縛られすぎた旅行はちっとも面白くありません。でも、その状態を自ら作ってしまっているわけですから、途中で起こる予期せぬ出来事によって変化することもできません。

そのため、変化した先にある、まだ見ぬゴールへは辿り着けず、ただ当初の目標へ向かうだけになります。


この時代において「夢を持つな」とは言いません。ただし、自分の夢というゴール、結果に縛られることはナンセンスなのではないか、と思います。

自分にしか創れない物語、自分にしか創れない人生をクリエイトするという、それが本当のみんなのお役目だと思うのです。

何事もプロセスの方が大事

目標を持つことで動き出せる、ということは良いと思います。でも、何が本当に大事かというと、目標を達成した時に受ける感覚であって、目標の物ごとそのものではないのです。

例えば、山登りでも「あの頂上に立ったら心地良いだろうな」という感覚で登るのは良いのですが、「俺はこれだけ登ったのだ」というように、誰かに自慢したくて登るのでは得るものが違うと思っています。

山登りは一歩一歩目の前を登っていく中で、出会う自分の感情の変化の方が大事なのです。

何ごともプロセスの方が大事だ、と僕は思うのです。

また、山登りでよく思うのは、頂上を見続けながら歩いていると苦しいということ。つい「まだか、まだか」と心が苦しくなってしまいます。目の前の足元の一歩一歩にフォーカスしていれば、ある時、意識していなかった何かに触れる瞬間があります。

ゴールだと思っていたものが実はゴールではなく、途中で見た一輪の花こそがゴールなのかもしれない。そういうことに気づくのです。

僕は山登りの時はほとんど上を見ないで、足元を見て歩いています。足元を見て一歩一歩進んで行けば、一輪の美しい花に気づくかもしれない。そうして「もうこんなに来ていたのか！」とふと感じられることもあるのです。

人生もまったく同じだと思います。一回、感覚で目標を持ったら、あとは上を見ないで良いのです。上を見ていたら、キリがありませんから。

まず理由無き行動でも良い

現代人はまず頭で物事を考えてから、行動に移します。しかし、情報の波に飲み込まれてしまって、判断がつかず、結局は行動できなかった、ということが起こりがちなのではないでしょうか。

僕の場合は、まず行動を先にするように心がけています。結果は後から付いてくる。その結果によって、行動した理由もわかる。つまり、行動した理由も後から付いてくるのです。

二七歳の時に俳優を休業したことも、僕からすると気づきがあったから、何か苦しくて、苦しくて、逃げるように芸能界から飛び出たわけです。

しかし、みんなには「二七歳で俳優全盛期の時によく決断できたね」などと言われました。

実際のところは、そんなにカッコいいものではありません。「とにかく苦しかったから、出た」ということなのです。

そして、その答え合わせみたいなものは、それまでの日常や自分が変わっていくことによって、後からきちんと付いてきました。

だから僕は、まず理由無き行動でも良い、という気がします。

むしろ、情報が溢れている現代だからこそ、理由無き行動が大事な気がしています。

今この瞬間の「いのち」に気づいて、それをそのまま受け入れる

瞑想はよく「無」になることだと思われていますが、僕が行っている瞑想は「無」ではなく、今この瞬間に気づくということを行っています。

人間の心は過去と未来を行き来していて、とくに未来のことを思うと不安になっ

て、今ここに在ることができない、という状態になりがちです。

良いとか悪いとか、心地良さには執着し渇望して、嫌なことには反発し嫌悪します。そのような「心の癖」から解き放たれて、今この瞬間の「生」に気づいて、それをそのまま受け入れます。


瞑想中は、実際「無」になっているというより、むしろ、いろいろなことが頭に浮かんでくるのですが、それらにフォーカスせず、そして否定もせず受け入れ、そして今のこの瞬間の感覚に戻って気づくということをやっています。何か嫌なことを想像してしまったとしても、今この瞬間に戻る。今この瞬間は平穏であり、それだけで幸せなのです。

瞑想しながら、ひたすらそういうことをくり返しています。

そして、瞑想の中でもいろいろな経験をしますが、瞑想の中だけで済ませてはあまり意味がなく、実際の日常の中で、実践の中でそれを生かさなければならないのです。

日常の中においては、あらゆることが起きます。うまくいかないこと、不条理なこともあれば、逆にあまりにも素晴らしいことがあったりもします。その瞬間を喜ぶのはもちろん良いのですが、やはりそれに執着し渇望し、ずっと追いかけてしまいがちですから、そのような「心の癖」を取り除いていくのです。

僕は世界中でコロナ禍が広まる直前、ゴータマ・シッダールタ（ブッダ）が悟りをひらいた実践的瞑想法と言われている「ヴィパッサナー瞑想」の四回目を行いました。

一〇日間、施設に入って、携帯もパソコンもダメ、喋らない、話さない、人と目も合わさない、メモ書きも絶対ダメ、すべての情報を遮断して、朝の四時から夜の一〇時まで自分の内側をひたすら観察していくという瞑想です。

やがてコロナが広がって、僕はイベント会社を経営しているので、イベントが軒並み中止になり、それによっての損失が二年間で数え切れないほどありました。瞑想体験をする以前だったら、「ヤバい！」とジタバタしてどうにか取り戻そうとしていたと思います。もちろん、もしかしたらそれで得ていた仕事もあったかもしれません。

しかし、短期的に見れば会社にとって良いことではないのですが、あまりジタバタせず、これも一つの流れだと思って俯瞰していました。あっという間に会社にプールしていたお金が無くなり、いろいろなものが無くなりましたが、しかし逆にそのおかげで得られたものもたくさんあるのです。

あの時にジタバタしていたら、それらは無かったかもしれない。短期的損失はすごくても、中長期的に自分の人生を見るなら、新しいご縁もできているし、これも新しい人生の繋がりなのだろうと思えるのです。

世界の全てと自分が繋がっている

「ヴィパッサナー瞑想」は、二五〇〇年以上前にゴータマ・シッダールタ（ブッダ）によって再発見されたと言われている、インドの最も古い瞑想法の一つです。「ヴィパッサナー」とは「あるがまま見る」という意味です。ブッダは亡くなるまで、この瞑想法を誰もができるものだと、善人も悪人も分け隔てなく教え続けたそうです。

その教えを広めるために弟子たちが仏教をつくり、途中から宗派が分かれ、だんだん教えの言葉だけが残っていって今の仏教のような形に変化したのだということです。

その元の瞑想法をミャンマーの一族が守り続け、一九六九年に再びインドへと戻って、今や世界中へと広がっているのが「ヴィパッサナー瞑想」です。一切宗教色は無く、あらゆる人が一緒に座って行う。全てが寄付とボランティア、「利他」で成り立っています。

世界各国にその瞑想センターがありますが、僕も各地のセンターで一〇日間の瞑想プログラムを計四回体験しました。

先生もご飯を作る人たちも、みんな奉仕で、宿泊代も授業料もなし。体験者は一〇日間のプログラムが終わった後、「この恩恵が誰かにも授かりますように」とお気持ちだけ置いていきます。一円でもいいし、一〇〇万円置いていったりする人もいるので、どんどん世界中に繋がっていきました。

体験者は瞑想センターの中で一〇日間を過ごすのですが、コース期間中は、五つの戒律を守らなくてはなりません。

- いかなる生き物も殺さない。
- 盗みを働かない。
- いかなる性行為も行わない。
- 嘘をつかない。
- 酒や麻薬などを摂取しない。

そして、携帯もパソコンもダメ。誰とも話さない、目も合わさない。メモ書きするのもダメ。朝四時から夜九時までひたすら自分の内側を観察するという瞑想法を実践します。

僕が初めて「ヴィパッサナー瞑想」を体験したのがタイにある瞑想センターです。最初の三日間はひたすら意識を呼吸と鼻と口の間の小さい箇所の感覚に集中し、その後に全身のパートを一つずつ観察していくのですが、それがなかなか難しいのです。ふと気づくと意識が全然違うところに行ってしまい、一分も集中することが出来ません。

「あいつにあんなことをされた。今度会ったらこんなことをしてやろう」とか、「良いアイデアを思いついた！　次はもっと楽しくなるぞ！」「こないだは楽しかったなぁ……よし次も楽しみだなぁ！」とか、そんな風に人の意識は過去から未来、未来から過去へと飛んでしまいます。今という瞬間に、人はほとんど生きていないということに気づかされるのです。

しかし、だんだん身体中のパートを一つずつ感じられるようになっていって、その七日目のことでした。

瞑想中に虫に刺されたような痛みとかゆみが走ったのですが、反応せずに、それをじっと観察してみました。すると、実は虫にさされたのではなく、細かな微粒子（エネルギー）が身体の表面に浮上していたと気づくことができました。

そして、翌日にはその微粒子（エネルギー）が体全体と繋がり、隙間なく全身の感覚を感じることができました。やがて肉体という枠組みの感覚が全て無くなって、意識が広がり、あらゆる万物と繋がっていったのです。

わたしとあなたの境界線の無い世界、この世界の全てと自分が繋がっているということを肉体を通して経験し、自分や他人のあらゆる病気さえも意識で治せると思えるくらいの繋がりを感じたのです。それはそれは今まで体験したことのない心地良い気分でした。

その後も僕は、またあの感覚に戻りたいとその状態を追い求めたのです。ところが、その夜の講話で全てを見透かされたように言われてしまいます。

「これくらいの時期になると、これまでに経験したことのないような高揚感、心地良い体験をした生徒さんがいるかもしれません。これこそが自分が求めていた感覚だ！　これこそが悟りなのだ！　と思った人がいるかもしれません。しかし、その心地良さにも執着してはいけません。その執着、渇望する『心の癖』を離れましょう。心地良い感覚も、嫌な痛みも、全ては無常であり、同じ性質。生まれては、また消えていきます。それが自然の摂理、自然の法、ただただ観察しましょう」

全てはお見通しなのでした。

新たな悟りの時代へ

『サピエンス全史』という世界中で二〇〇〇万部以上売れた大ベストセラーがあります。著者の歴史学者ユヴァル・ノア・ハラリは「ヴィパッサナー瞑想」により、この書を思いついたそうです。

どうして、人間＝ホモ・サピエンスが繁栄したのか？

他にも身体能力が高く素晴らしい種族はたくさんいて、むしろホモ・サピエンスは種族として能力が長けていたわけではないのです。

では、なぜなのか？　それは「嘘を信じる力、虚構を信じる力」を身につけたからだ、と言います。

それまでの種族は、例えば目の前にライオンが来れば逃げますが、「五キロ先にライオンがいる」と教えられても信じることができません。ところが我々ホモ・サピエンスなら、それが例え嘘か本当かわからなくても、信じて準備することができます。この嘘を信じる力によって繁栄していったのです。

ようするに、お金にしたって、みんなが価値を信じているから、お金として成り立っている、ということです。

「ヴィパッサナー瞑想」では、「あるがまま」を見ます。一パーセントの真実は、今この瞬間の呼吸と感覚にしかない。

残り九九パーセントの外の世界というのは、ある意味では虚構というか、本当かどうかわからない世界です。しかし、そこへ目が向いてしまっているから、一パーセントの真実は見えない。

この「気づき」によってユヴァル・ノア・ハラリは、ホモ・サピエンスがこれだけ進化し、繁栄していった繋がりというものが見えたのでしょう。

彼は、これから起きる少し怖いことも予言しています。

昔は自然が神様でしたが、自然崇拝から偶像崇拝へと変わり、そして今は情報が神様になっています。あらゆることを情報で判断してしまう。そして情報に盲目的になれば、ビックデータを操るような人たちにコントロールされてしまうことになりかねないと……。

だからこそ、自分の内側を観察するのです。今この瞬間の真実に気づくことが重要です。

今、この瞬間だけを見ていれば、幸せを感じることができます。未来や周囲ばかり見るから、何かと比べて不安になる。この瞬間、瞬間にしっかりと在ることによって、導かれるということがあるのだと思います。

自信というのは、自分を信じると書くように、自分自身の心を信じるのです。

しかし、誰もが出家したり、ひたすら瞑想をしないといけないのか？　というと僕はそうは思いません。人にはそれぞれ今生での役割があります。予想もできない様々な出来事が起こっている現代社会は、まさに新たな悟りの時代とも考えています。

仏陀の時代は出家して、菩提樹の下で四九日間の瞑想の末、悟りを得ました。しかし、今の時代は日常に起きる様々なことをどう捉えていくかで、社会活動をしながら悟りを得る人が増えるのではないか、と思うのです。

日常の全てが実践、壮大な実験の場なのですから。

自分で実践し、行動しなければ何も意味がない

瞑想センターで聞いた講話で、非常に印象に残っている話をご紹介します。

ゴータマ・シッダールタ（ブッダ）がまだご存命だった頃、何年も毎日のように

ブッダの講話を聞きに来ていた若者が、ある日、ブッダにこんな質問をしました。

「僕はここ何年も毎日のように通い、お師匠様の話を誰よりも聞いているつもりなのですが、僕の中の穢れは一切とれず、ここに来ている他の方々はみるみる変わっているのは、なぜなんですか？」

するとブッダは優しく問いかけました。「あなたが生まれた場所はどちらですか？」

「ここからかなり離れた○○○という村ですが……」と若者は答えます。

「では、あなたはそこまでの道のりを説明することは出来ますか？」とブッダ。

「当たり前じゃないですか、お師匠様。自分の村への行き方くらい事細かに道を説明することが出来ます」

「それでは、私がその道を聞いて、今すぐその場所に行けますか？」

「いや、たとえ行き方がわかっても、その道を自分で歩かなければ、どうやってそこに辿り着けるというのですか……。あっ！」

「そうです。今まさにあなたがおっしゃった通りで、例えその道を頭で理解したとしても、一歩ずつ自分の足で歩まなければそこへは辿り着けないのです」

これを聞いて、僕はハッとさせられたのです。

本を読んだり、ニュースを見たり、あるいは先輩や親などから素晴らしい教えを聞いたとしても、それを実践できなければ、自分で行動しなければ何も意味がないのです。

美しい山の上からの景色は、自分の足で歩いて登るから心から本当の美しさがわかるのであって、ただヘリコプターで頂上に連れて行かれたところで、心からの感動というわけにはいかないでしょう。

同じように、ただ思いを巡らすだけでは意味がなく、お祈りをするだけでも意味がなく、実践が伴わなければならないのです。

そんなシンプルで当たり前のことも、日常の日々に忙殺されて見えなくなっていて、情報で錯覚を起こし、世の中がわかったような感じになっている、それが現代人なのです。

第4章 人間の役割は？

小さい橋をかけていくのが僕の役割

奇跡というものは大きなことだけではなく、むしろ日々の生活の中、すぐ目の前に小さな奇跡や「気づき」がいっぱいある、と僕は思っています。

大きな奇跡ばかりを意識していると、かけがえのない小さな奇跡を見逃してしまいます。小さな奇跡に気づき、それが積み重なっていき、全てに生かされているという奇跡に気づくのです。

そして、誰もが自分自身の人生を創るクリエイターになる。そうなっていくことが、この世が良くなることだろう、と思います。

僕自身も、21世紀の未来型テーマパークを創るとか、いろいろやっていきたいことはあります。そして、ビジネスのプロジェクトだけではなく、「ギブ・アンド・

ラブ」という活動もしようと思っています。

僕は「小橋」という名ですから、小さい橋をかけていく役割なのです。違うジャンル、世代の人たちに橋をかけていくのです。

例えば、政治のことをよく理解している人たちだけで集まっていても、やはり社会は変わっていきません。そうではない人たちも知っていくことで、「気づき」になって、変化になります。

そのような橋渡しをするのが、僕の役割だと思っています。エンターテインメントをやっているのも、そのような理由からなのです。

普段、まったく気づいていない、しかし心の奥底では変わりたいと思っている人が、非日常を体験したいとイベントに来ています。心のどこかでは気づきたいのに、表面は思考でブロックしている。そこにエンターテインメントを通じて、我《われ》を忘れるほど楽しくなったり、圧倒的な感動をすることで自分の内側から「本当の自分」、自分が閉ざしていた自分とか、まだ見ぬ自分が出てくるのです。

そういった「気づき」から、その人の小さな一歩が始まると思っていて、僕はエンターテインメントに取り組むようになったのです。

エンターテインメントとは、本当の自分へと繋がるエンター＝入り口だと思うのです。

見返りのない「利他」の愛は別の形で戻ってくる

二〇一一年、東日本大震災の時、僕は内閣府が要請した民間ボランティア最初の五〇人として、被災地である石巻の最前線へ行きました。

仲間たちとボランティア・チームを作って、まだ雪がしんしんと降っているところにテントを張るところから始めて、五カ月くらいずっとテント生活をしていました。

あの時は朝から晩まで動いていた感じで、本当にあまり寝ていませんでしたが、なぜかフルパワーでまったく疲れなかったのです。お金をもらうわけでもなく、ただただ困っている人のためにと、がむしゃらにやっていただけで、それなのに、とにかくエネルギーに満ち溢れていました。

純粋に人のために動いていました。ある意味で本当に「無」になっていたと思います。誰かから何かをもらおうとしてやっていたわけではないのです。

しかし、その時、同時に人からいろいろな見えないパワーをもらっていたのだと思います。だから、めちゃくちゃ元気だったのです。

見返りのない「利他」の愛は結局は別の形で戻ってきます。戻ってくることを求めてやってはいけないのですが、結果的には戻ってくるのです。あの時の素晴らしい感覚は今でも忘れられません。

ただし、自分の先行きが心配だとか、社会情勢に不安があるような状況だと、なかなか「利他」にはなれないでしょう。

しかし本来、「利己」と「利他」は対立しません。

最初は誰でも利己的です。赤ん坊はミルクを飲まないと生命の危機を感じるので、お母さんの状況など全く気にせず利己的に泣き叫びます。そして成長し、生命の安全が確保されていくと自分以外の周囲のこと、やがては世界、地球全体のことも考えられるようになります。

人は自分の生命の安全が確保されて、初めて「利他」になれるのですから。

もちろん経済的な不安や将来の不安など色々あるかもしれませんが、現代の日本においては戦国時代のように毎日生命の危機を感じるような時代でもありません。「利他」の法則を知ることは、実は何よりも近道だったりするかもしれないのです。

二一世紀は「心の時代」と言われていますが、そのようなことを世界にきちんと伝えていく役割は日本にあるのではないか、と僕は考えています。そのためには「利他」の愛が必要だと考えています。

人は「自分ごと」になって初めて気がつく

人間の現在の循環では、まず情報があります。そして、思考が先になり、最後に心がくるのです。しかし、本来は心が先で、思考は心が使うツールでしかないはずなのです。ところが今は、その順番がくずれてしまっている状態です。

本来そうであったように心と繋がるためには、「利他」と「奉仕」が一番わかりやすいと思います。損得の思考より先に、しっかりと心へ繋がってくるからです。

僕はサーフィンもしているのですが、たまにビーチクリーンをすると、海を、自然を使わせていただいているという感覚になります。

自分たちで片づけると「自分」になって、今まではそこらにあるのが当たり前だったゴミを、どうしてこういうところに捨てるのだろう、と思えるようになります。一回でもビーチクリーンをしたら、絶対ゴミを捨てなくなります。友達が捨てようとしても、「ダメだよ」と言えるようになるのです。

やはり人は「自分ごと」となって、初めて気づきます。そういう経験がすごく大事なのです。

昨今は環境問題、食料危機なども騒がれていますが、それにはサプライチェーンのこと、今自分が着ているもの、食べているものはどこから来ているのか？　を知ると、地球の問題も自分ごとになっていくのではないでしょうか？

「分断の時代」に必要なのは、日本人が元々持っていた「和」の魂

今、都心からほど近い場所で、一〇〇年後の未来を考える芸術祭を開催しようと準備をしています。

二〇二三年秋ごろから二〇二四年に開催する予定で、全体のテーマは〝環境と欲望〟です。

最初にコンセプト的なことを何にしようとチームで話し合った時、一〇〇年後へ向けた持続可能な社会をつくるため環境問題に向き合うこともすごく大事なのですが、結局はそれら全ての環境は人の欲望が作り出している、という話になりました。だからこそ、環境作りには人の欲望というものにもしっかり向き合わなければいけない。

今こそ、人の欲望にきちんと向き合い、持続可能な社会や環境に向き合わなければいけない。そういう芸術祭をやろうとしています。そのようなテーマでいろいろなアーティストに作品を作っていただいたり、自分たちも何か作品を作ろうと考えています。

人の創造力というか、人が何かを生み出すためには、時に無駄が必要なことがあります。ある意味では、アートなんかはすべて無駄なものと定義されてしまうかもしれません。売れなかったら無駄なのかというと、そういうものでもありません。

やはり、人が何かを生み出したい、という欲望や創造のエネルギーは地球全体を動かすくらいのパワーがあって、一見無駄なことも必要なのです。

そういったことを含めて向き合っていかないと、環境のことを考えて一時期だけの抑制・抑圧を試みても多分、長くは続かないでしょう。

「こんな時代は嫌だ」とリバウンドがあるかもしれませんし、次の時代で爆発してしまう可能性もあります。本質的に持続可能な社会を創るには、環境とそうした欲望の両方にきちんと向き合わなければいけない、とすごく感じるのです。

そのような時代の流れの中で、最近のニューエイジ、若い人たちは資本主義とかを嫌うのではなく、両立していくことも必要だと柔軟な考え方をしている人も増えています。

何かを離れるとか、何かを否定すれば、そこからまた新たな分断を生んでしまいます。この世界は、単純に二元論で語れるものではないのです。

日本は本来、対立するものを結び合わせることを得意としてきた歴史があります。世界中のいろいろな文化を取り入れ、調和させる力がある「和」の国です。

さまざまなものを結びつけて、そこから新たな物を創っていく「結び（ムスヒ）」の思想のある日本。古来より、ものづくりとは物と物とを結びつけて新たな物を創ることであり、それを「結び（ムスヒ）」と考えてきたのです。

だからこそ、世界中で進んでいる「分断の時代」に必要なのは、日本人が元々持っていた「和」の魂なのです。そのためには、やはり日本人みんなの魂が目覚めることが重要なのだと思います。

宇宙で一番クリエイティブなことは？

クリエイターの先輩に「どんなに人間がいろいろなことをしても、子供を創造するというクリエイティブなことに敵うことはないのだ」とずっと言われてきました。「子供をつくることは、この宇宙で一番クリエイティブなことだ」と。

だから、さぞ子供をつくるということは素晴らしいことなのだろう、と思ってはいたのですが、実際はそれ以上に美しくて、息子の成長は僕の心に変化を与え続けてくれます。

ただし、父親の場合は自分で産むわけではないので、やはり母親と比べたら大変さも、感動も違うのでしょうが……。それでも日々、「気づき」はいっぱいあるし、子供と共に自分も成長していく学びがいっぱいあると思っています。

もちろん、子供を育てるのは大変です。母親が一番苦労しているのでしょうが、しかし、その大変さは長く続くものではありません。正確に表現するなら、同じ大変さがずっと続くことはないということです。

みんな、大変なことが延々とあるかのように思ってしまうから、それで心が折れてしまうのです。しかし、子供を育てる大変さを観察していると、単純に同じ大変さがずっと続くわけではないことがわかります。

例えば、赤ちゃんの時、最初は夜泣きで大変で、次は母乳を飲ませることだったり、でもその次には歩くことができたという喜びを与えてくれたりもします。いろいろと変化していって、やがてわがままも出てきたり、偏食とか、いろいろな風に大変さは変わっていくのです。
その変化の中で、非常な喜びも与えてくれるから、まさに、これが人生なのだ、と教えてくれている感じがします。もちろん子供は成長が速いので、それが一カ月、二カ月単位で移り変わっていくのですが……。

大人でも大変な時期はあって、例えば、二〇二〇年からのコロナ禍の三年間は大変でした。でも長い目で見て、人生を仮に百年と捉えれば、そのことも一つの景色なのです。

僕が子供を育てながら感じたのは、同じことはずっと続かない、ということ。子育ての苦労も可愛さも変わっていく。いろいろなことが移り変わっていくものなのです。
でも自分のことだと、それがなかなかわからないもので、気づけません。ところが、他人を通して見てみる、とくに近しい子供を通して見れば、一瞬一瞬で全て変わっていくのだとわかります。

子供の、あの時の可愛さに執着しても仕方ないし、あの時の苛立ちを思い出して、今苛立っていても仕方ない。そういうことに気づいていくと、自分のことも少しずつ俯瞰して、少しずつそれらを受け入れられるようになります。

宇宙で一番クリエィティブな子育てには、無限の学びと感動があると思うのです。

自然との繋がりを大切にして、生かされていることに感謝する心を

大人が子供にしてやれることは、様々な世界を見せて、様々な経験をさせてあげることだと思っています。

そして、子供が「あれをしたい、これをしたい」を見つけた時、それを大人が後押ししてやること。やはり子供には自分自身の宇宙を創ってもらいたい、と思っています。

例えばコンクリート・ジャングルの都会に暮らしていると、どうしても自然と切り離された生活になってしまいます。ですから僕は、できるだけ子供を自然の中へ連れて行きたいと思い、大人も楽しめる折衷案をと考えた結果、我が家ではキャンプや山に行く機会が多くなりました。

ある日のこと、いつもは大人もワクワクするような、綺麗なキャンプ場へとよく連れて行っていたのですが、そんな有名どころが、どこも空いていなかった時がありました。仕方なく遠方の河川敷にあった、少し荒れた風情のキャンプ場を利用したのです。その時に「気づき」がありました。

綺麗なキャンプ場では、例えば美しい芝生の空間に、子供はすぐに飽きてしまうのです。何度「ママ〜、飽きた〜」と言っていたことか。

ところが、その荒れたキャンプ場では「あ！」「あーっ！」と沢山のことに気づいていたのです。そこは子供にとっては、ものすごくいろいろな世界がいっぱいある、宇宙そのものでした。あちこちに凸凹があり、いろいろな虫がいっぱいいて、枯葉がたくさん落ちている。一見すると綺麗ではない荒地は、子供にとっては素晴らしい冒険の場所、発見の場所だったのです。

やはり人間というものも、安心・安全な平地、平面の中にずっといると鈍化していくのでしょう。アップデートされないOSみたいなものです。自然界は人間にとっては不規則なもの、そこでいろいろなものに適応しようとすれば、人間もコンピューターのOSのように、どんどんアップデートされていきます。同じ情報を入れるにしても、アップデートされたOSとそうでないものでは全然違ってくるでしょう。

結局、本当の自然でないとダメなのです。大人にはわからずとも、子供にとっては違うのだと思いました。

世界を見渡すと、フィンランドの教育は世界最高峰と言われています。しかし、勉強する時間は先進国の中でも一番短いそうです。では、何を教えているのかといえば、「自然の中へ遊びに行け！」ということ。

やはり大人がしなければいけないことは、自然と切り離されている子供たちを、いかに本物の自然のある場所へ連れて行くかだと思います。

僕が子供を入れたいと思っている学校は、年に一回一週間、子供たちを親から離して、大自然の中に連れて行きます。シャワーも出ない、自然の水を汲んで使用するという、いわゆる通常のインフラを使えない生活を一週間させるのです。

もちろん、勉強も大事なのですが、人間としてどうあるべきかを教えられることがないまま、勉強だけを詰め込んでも、ヒューマン・エラーを起こしてしまいます。良い大学に入っても身勝手な犯罪に手を染めてしまう人もいるのです。

人間である、ということはどういうことなのか？

やはり、自然との繋がりを大切にして、生かされていることに感謝する、ということを教えずに、勉強だけをさせているとしたら、それは間違っていると言わざるをえないのではないでしょうか。

神社は感謝をするための場所

僕はよく神社にも行きます。何をするために行くのかと言えば、お願いごとではなく、感謝をするためにです。

過去も未来もなく、既に今、有ることに感謝するのです。「有難い」という言葉は、有ることが難しいということです。つまりは「奇跡」、「ミラクル」です。

まだ起きていない現実を願うのではなく、今ある全てに感謝する。そのために神社へ行くのです。

何に向かって感謝をしているのかというと、「八百万の神々」である「自然」に対してです。自分を含めた、自ずと有るもの、「自然」という既にそこに有る存在に対して感謝しています。

日本がそういう場所であり、神社を今日までずっと残してきたということは、なんと素晴らしいことだろうと思います。

日本では、山や川や風や土や水や、すべての自然が神々で、だから「八百万の神々」なのです。今では「神」という言葉は、偶像を思い起こさせてしまうので、どうもみんなが拒絶反応を示しがちです。しかし、本来はそういうものではなく、全てに「いのち」が宿っている、という意味なのです。

初めて出雲大社の「神迎祭」に参加して以来、神社でいろいろな不思議な体験をするようになりましたが、自然を神とし、神に感謝する場所としての神社を大切にしてきた日本。

そういった日本で、日本らしい「利他」の精神を、世界の人々に接してもらうチャンスとしての二〇二五年、昭和一〇〇年の大阪・関西万博（EXPO 2025）。みんなで一緒に盛り立て、その目的を果たせたらと、願っています。

日本の魂を世界発信するために

根幹にあるのは、日本の魂。しかし、そのアウトプットは、グローバルの人たちに寄った方がわかりやすいと思います。

グローバルの人たちの方が起承転結も壮大で、言語でパンパンパンとわかりやすいのです。日本人特有のはっきり書かず、行間を読まないとわからないというのでは、グローバルではなかなか伝わりにくいと思います。

魂は日本、アウトプットはグローバルの人たちとの共創みたいな形が、これから日本が世界とユナイト（団結、結束）していく方法なのではないでしょうか。

本来の日本人ほど、心の部分がきめ細やかな民族はいない、と僕は思うのです。海外には、日本の魂を学びたいと思っている人もいっぱいいると思います。

アップルの創業者のスティーブ・ジョブズもまさにそうです。あの人は日本の禅の精神を習い、そこから「そぎ落とし」の日本の美学みたいな「ミニマリズム」で、何が本質かを見極めた結果、画期的な音楽プレイヤー「i Pod」を生んでいます。技術では他社にもすごいものがいっぱいあったのですが、引き算の美学で「シンプル・イズ・ベスト」の、スタイルというものを創っていったのです。

第5章 「心の時代」を牽引していくのは日本人

二〇二五年日本国際博覧会（大阪・関西万博）の意義は大きい！

大阪・関西万博（EXPO 2025）は、不思議なタイミングで開催されます。二〇二五年は、昭和から始まる一〇〇年の歴史が終わる年です。

この一〇〇という数字には、僕は深い意味があると思っています。映画『コンタクト』の中で「英語は世界共通語で、宇宙共通語は数字だ」というセリフが出てきますが、僕もそれを信じています。

水が沸騰する最大温度を一〇〇度として温度は設定され、また、一〇〇年というサイクルで、いろいろなものが刷新されています。社会も、組織も、企業も……。

昭和からの一〇〇年の中で、良きものもたくさん生まれました。それは引き継いでいくべきものです。

一方、ボタンのかけ間違いでおかしくなった、複雑な仕組みもあります。それを単純に否定するのではなく、それに感謝しつつも、やはり変わっていかないといけません。

僕は、次の一〇〇年が二〇二五年から出来ていく、というすごいタイミングで大阪・関西万博が開催される気がしています。

しかも、開催地の人工島「夢洲《ゆめしま》」は、古代から「国生み」の島、始まりの島と言われる淡路島と同じ湾内で繋がっています。会場からは淡路島が望めるのです。二〇一九年にコロナ禍で日本各地に行くようになり、深いご縁もできて、それからは淡路島へ度々足を運ぶようになりました。みなさんにも、なぜか何となく幾度も足を運ぶことになる場所、というものがあるのではないでしょうか。そのような、土地に呼ばれる、ということはあるものなのです。

そういう流れの中で、淡路島と繋がっている会場で開催される大阪・関西万博のプロデューサーをやらせていただくことになったのです。非常に不思議なご縁を感じています。

自然の大いなる力が、日本人の魂を目覚めさせようとしている

また、淡路島には「縄文」というキーワードもあります。

一九七〇年の大阪万博で岡本太郎さんがつくった「太陽の塔」は、縄文時代の「出産文土器」に極めて似ています。縄文文化にも造詣の深い岡本さんは、真のおまつりを産み出す装置としてあれをつくったとも言われています。

その「太陽の塔」がある大阪の地で、再び万博が開催されるということは、真のおまつりをこの時代に起こしていくべき、ということなのでしょう。

おまつりには本来、踊ったり騒いだりする姿だけではなく、自然への感謝や繁栄を祈る、そして世代を超えて人々や文化を繋いでいくなど様々な要素があります。

そうやって地域や文化や、社会を、おまつりが紡いできました。

ですから、これから新たな時代をつくっていく、これからの日本、ひいては世界をつくっていくということがすごく大事なことなのだと思うのです。

まさにこのタイミングで、なにか自然界が、自然の大いなる力が、日本人の魂を目覚めさせようとしている気がしています。

コンセプトは「その一歩が未来を動かす。」

万博はまさに、あらゆる人々が参加し、世界と繋がるおまつりそのものです。

僕は、その中の開閉会式を含めた会期中に開催される何千という催事のプロデューサーを務めます。

とはいえ、僕たち運営サイドがその催事全てをつくるのではなく、みなさんが万博という場を使って未来をつくっていくのです。

先日、その催事のコンセプトを発表しました。

「その一歩が、未来を動かす。」

これは昨年お会いした元宇宙飛行士の毛利衛さんの著書に書かれていた、「いのちが紡がれてきたのはいつの時代も多様な環境の中で個の挑戦、個の一歩があったから」という内容の言葉を読ませていただき、このコンセプトに辿り着きました。

決して、万博だけのためではなく、これから訪れる世界中の人々に日本の良さを伝える準備をする、自分自身のために何かに挑戦する。その一人ひとりの一歩が未来を動かし、いのちを繋いでいく。混沌とした時代の今だからこそ、改めて未来を動かす「個」の一歩、挑戦が必要だと考えています。

それは日本全体、そして世界中の人々とつくりあげる新時代のまつりになるのです。

多様な文化や考え方が外から入ってくる一八四日

二〇世紀は物質文明の時代で、物があれば豊かだと思われていた時代です。経済を最優先し、人々はどこか利己的に生きていました。

そして、この二一世紀は「心の時代」と言われています。

情報はフラット化されて、今や世界中があらゆるものを介して繋がっているようにも見えます。しかし、情報が民主化されて、誰もが発信できるようになったが故に、一方でリテラシー（適切に理解・解釈・分析し、記述・表現すること）が無く、SNSが誹謗中傷や攻撃をする道具になってしまった感も否めません。

そして、コロナ禍もあり、あらためてみんなが気づいてきたことは「心はどうあるべきなのか？」ということです。

これからの二一世紀は「心の時代」だと考えた時、この「心の時代」を牽引していくのは日本人ではないか、と僕は思うのです。

もちろん今のままではありませんが、本来の日本の精神性は、今後世界の人たちに大きな影響を与えられるのではないでしょうか。

そういう意味で、日本人が目覚めていくことがとても重要です。そのためには、第四章で述べているように「利他」の愛が必要だ、と僕は考えています。

しかし、今はまだ過渡期、やはり現実、他人より自分の生活、お金が大事だったりします。「利他の心とか言っても、まだ自分自身が満足できていないのだから、利他なんて考える余裕もない」と思うのではないでしょうか。

ある意味で、日本はこの数年間トランプでいうババを引いてしまったかと思われるほど、不運だったとも言えます。多くの人が日本全体の活性化、これからの活力に期待していたオリンピックは世界的パンデミックにぶち当たり、あげくの果てにあらゆる不祥事も噴出し、この国全体に期待をしなくなってしまった人も多い筈です。

大阪・関西万博（EXPO 2025）も同様に感じる人もいるでしょう。

しかし、本書の冒頭にも書きましたが、日本だけなく世界中が大きく揺れ動く時代、数え出したらきりのない程の問題に付け加え、Chat GPT-4のような生成系AIの出現など世界的な価値観が大きく変わろうしている時代、そのような時代の狭間に大阪・関西万博（EXPO 2025）が日本で開催されるのです。

そして、日本においては万博が開催される二〇二五年は昭和から数えてちょうど一〇〇年という節目の年でもあります。

僕は、これは偶然ではなく、このようなタイミングに大阪・関西万博のような、世界中から多様な文化や考えが外から入ってくるものが一八四日という半年もの間、開催される。それは、ある意味でカオスなので、まるで日本にいながら世界一周しているようなセレンディピティ（幸運な偶然）が起きるかもしれない。それが、日本人の魂の目覚めに関わる機会として、ものすごく重要ではないかと思うのです。

日本では「万博」と言うと、インテリの人が集まった科学技術の祭典みたいな風にも思われがちです。しかし、ノンバーバル（非言語）で、世界中の子供たちもワクワクするような空間や、世界中のお祭りが毎日開催されているような、様々なイベントが毎日のように沢山あるのです。

そして、万博を起点に日本中を旅すれば、さらに多くの発見に出会えるでしょう。それは世界から訪れた外国人だけではなく、僕たち日本人にとってもだと思います。

テーマは「いのち輝く未来社会のデザイン」

大阪・関西万博（EXPO 2025）のテーマは「いのち輝く未来社会のデザイン」です。

「いのち」という言葉をど真ん中に持ってきています。

このテーマの意味するところは、人間の「いのち」だけが輝けば良い、というものではない、と思っています。自然界の生きとし生けるもの、すべての「いのち」が含まれているのです。

だから、人間の「いのち」が輝くためには、「自然界から生かされているのだ」ということを、まず知らなければいけません。自然界から生かされているという「感謝」があってこそ、初めて人間の「いのち」も輝くのです。

人間の「いのち」が輝いて「真」になれば、自然にも感謝する、という当たり前の循環がどんどん起きてくるでしょう。第四章で述べたように「利己」から「利他」へ、自分自身も愛し「利他」の愛も芽生え、他者に対して何かを与えることができるようになっていくでしょう。

人間も自然も輝き、元の「氣」に戻っていく

最終的には、「利他」という循環は、直接誰かからもらうのではなく、違った形で恩恵がくるのだ、ということを知ることが大事です。

他人から受けた厚意をそのままその人に返すのではなく、まわりにいる別の人へと贈っていくことで、やがてみんなが繋がっていく。そんな、映画『ペイ・フォワード（Pay it Forward）』に出てきたような循環です。最初とは違った形で恩恵は戻ってくるのです。

そのような循環の中で、人間が本来の姿に戻っていかなければいけないと思っています。

「元気」という言葉はハイパーになるようなイメージがありますが、実は読んで字のごとく、元の「氣」に戻っていくことです。自然も人も、元の「氣」に戻っていく、つまりはゼロに戻る（「気」という漢字も、元々は「氣」と書いていたそうです）。

そのタイミングが二〇二五年であり、この年を皮切りに、いろいろなことがゼロに戻っていく、元に戻っていく。そんな時に大阪・関西万博が開催されるのだ、という気がしているのです。

日本全国が万博会場「みんなもそこに乗っかろうよ」

大阪・関西万博（EXPO 2025）は、大阪・関西の会場だけで開催されるのではありません。日本全国が万博会場です！

「万博は、未来の実験場」と言われているのですが、この時期に「日本中でみんなと実験をしよう！」ということです。それぞれが持っているコンテンツやおまつりを、この時期にちょっと変えてみたりして、チャレンジしてみよう！　せっかく、国や企業や世界が、何かを少しでも変えようとする力を、そこで使おうというのですから、みんなもそこに乗っかろうよ！　と呼びかけています。


やはり、魂を震わせる一歩、自分の心を本当に震わせる一歩、その一歩をこの時代に作っていく。足跡を残していく。そういうことが命の繋がりなのだな、とすごく感じるのです。

だからこそ、あらためてこの時代でチャレンジする。それは大きなチャレンジでなくても良いのです。小さな一歩に過ぎなくても、その誰かの一歩がなければ、次の一歩、そのまた次の一歩、その先の千歩も無く、未来は無いと思います。

ですから、万博の催事コンセプトは「その一歩が、未来を動かす。」なのです。

この万博は「風のように広がる」、広げていくのが自分の役目

「万博なんか関係ない」と思っている企業や個人に対しても、「逆に、このタイミングに相乗りしなくてどうするの」と問いかけ続けます。

国をあげて、企業をあげて、世界中の人が集まるこんな大きな舞台はもう当分ないのではないでしょうか。万博が終わったらしばらく何もない、今やらなくてどうするのか、と。

今の世の中を見ていても、現状に満足している人はあまり見られません。であれば、この時代に僕らが一丸となって変わらなかったら、いつ変わるのでしょう。

僕は催事というイベント全体を統括しているのですが、催事とは物質的なものではなく空気のようなものです。

一九七〇年の大阪万博の頃は「土の時代」という、物質が力を持つ時代とも言われていました。だからでしょう、やはり建物を造るというようなところに、みんなの関心が行きました。ですから、現在になっても空気のようなイベントにはあまりお金をかけていないのです。

しかし、今は「風の時代」と言われており、情報、知性、芸術、思想といった目に見えないものが価値を持つとされています。ですから、空気のような催事だからこそ、逆にいくらでも膨らませることができます。そして、膨らませたイマジネーションは、風のようにどこまでも飛んで行くこともできるのです。

「この万博は広がる！」と僕は思っていますから、大きく広げていくのが自分の役目だと思っています。

地球全体を本来の姿に導くような指標を創る

そして、「内需」だけにはならないことがすごく大事です。今まで日本は内需だけで成り立ってしまっていて、国内向けで、国民が喜べば良い、お茶の間に喜ばれて視聴率が取れれば良いのだ、と。そういう風潮がありました。

しかし、今回はそうではなく、世界の人々にこちらに向いてもらうようにしなければならない、世界中の人々をお招きする準備をしなければならないと思うのです。

個人レベルで考えても、誰かお客様を家に招く時、いつも以上に家を整え、おめかしをしたり、料理もちょっと豪華にするはずです。

であれば、これから世界中の人々を日本にお招きするのであれば、国や地域、個人のレベルでも、いつも以上にアップデートするべきではないでしょうか。日本の万博ではなく、本来、世界の万博なのですから。

昨年、外国である大学教授の方にお会いした際に言われました。「国際化というのは世界に基準を合わせるのではなく、自国の力で世界の標準をつくることだ」と。

たしかに一理ある意見であり、やはり自国の良いところをしっかりアピールし、日本の文化、日本が持っているポテンシャルをグローバル・スタンダードではなく、一つの理想的な「未来スタンダード」にしていく。

世界に合わせるではなく、世界が理想とするような基準を日本がつくるようにしていかなければなりません。

決して自国の価値を押しつけるのではなく、人間としてあるべき姿、心の部分で地球全体を本来の姿に導くような指標を。それが日本ができるグローバル・スタンダードでもあり、やがて本当の「未来スタンダード」になるのかもしれません。

中心に「静けさの森」という自然を配置

いろいろなアーティストの方にお会いすると、みんなが前回の大阪万博での岡本太郎さんの「太陽の塔」のようなものを建てたいと言います。

一九七〇年に開催された大阪万博の時代は、経済成長の真っ只中でした。物質文明の時代であり、だからこそ物質そのものをすごく大きく見せる演出はアリでしょう。「太陽の塔」もあの時代には必要でした。しかも、あの作品の奥深くには、岡本太郎さんがしっかり「縄文」という日本の精神性を込めています。

ただし、今の時代にあの「太陽の塔」が必要かと問われたら、僕はそうは思いません。

今回、大阪・関西万博（EXPO 2025）の建築プロデューサーである藤本壮介さんは、会場の中心に「静けさの森」という自然を配置しました。

手付かずの、ただそこにある自然というものではなく、人も介在することによって成り立っている自然というものもあります。里山のようにです。

前に述べたように、「ネーチャー」という言葉が日本に入ってきたことにより、「ネーチャー」(=自然)とは、山や森のことを指している概念なのか、と認識されて、それによって日本でも人が自然と切り離されてしまいました。

そして、自然と人が、まるで関係の無いものとなってしまったために、やがて自然をないがしろにするようにもなっていきました。

しかし、本来は、自然と人は同じもの、同じ万物そのもの、日本人はそのように捉えていたのです。

太古の昔、星でつくられた原子は、星の最期の超新星爆発によって、宇宙空間に飛び散りました。そこから太陽、そして僕たちが住む地球が出来上がり、そして人間を含めた地球の全ての生命体が出来上がりました。

だから、僕たちは本来は「星の子」であり、みんなが同じところから生まれているのです。ですから、それを区別し差別してしまうのは、自分たちを差別することにもなってしまいます。

そのような感覚、記憶を呼び起こすためにも、大阪・関西万博の会場の中心に自然というものがあるのは、すごく素晴らしいことだと思っています。今回の万博ではテクノロジーを介し、そんな自然との繋がりを感じるような拡張体験もつくっていきたいと考えています。

自然は、そこにあるがままで美しいのですが、その自然の中で生き物として本来感じられたであろう微細な感覚を、テクノロジーを介して拡張して体験できるようなコンテンツも考えています。

先ほども言及しましたが、現代においても、さまざまなアーティストの方々が「太陽の塔」を建てたいと言うのですが、岡本太郎さんを追っている時点で、もう

「太陽の塔」は建てられない、とも思うのです。あの時代だからこそ、アンチテーゼとしてあれが建ったのですから。

僕は「心の時代」の大阪・関西万博会場には、「静けさの森」が相応しいと思うのです。

第6章　美しき日本からの未来図

メタバースで世界は変化するのか?

アメリカのフェイスブック社がメタ社になったように、今世界では「メタバース」が注目されています。

メタバースというのは「超越した宇宙」、簡単に言うとオンライン上のバーチャルな世界にできる、もう一つの世界のことです。

よく「リアルか、バーチャルか」の論争がなされていますが、そもそもこの世界は人間が脳で作り出しているバーチャルな世界だ、と科学でも言われるようになりました。量子力学の世界では「意識や感情もフォトンという素粒子でできており、このフォトンが発信されることで現実世界に変化を引き起こす。意識が波動となり現実をつくる」と言われているのです。

「リアルか、バーチャルか」のバーサス(VS)がそもそも、もうナンセンスなのです。

例えば、オンライン上のバーチャルな空間があったとします。現実世界をいきなり変えることはできませんが、そのバーチャルな空間の中では、新しいルールをつくることができます。

そうして起きた出来事や、体験した感覚や、コミュニティーに影響されて、人々の心が変わることがあるでしょう。そして、人の心が変われば、この現実世界を変えてしまうということもありうるのではないでしょうか。

メタバースは「多拠点」、もう一つの場所

メタバースというのは、僕の中では「多拠点」の一つだと思っています。「多拠点」、もう一つの居場所なのです。

日本にも色々な村があるように、メタバースの中にも色々な村ができ、村には独自の色々なルールがあります。しかし、それは人を縛るルールではなく、人の心を解放していくようなルールにしていく。人々が自由に自分を表現できる、「実験解放区」みたいな場所にしていくのが理想です。

現実世界でそれを実現しているのが、アメリカのブラックロックという砂漠で開催されている「バーニングマン」です。「バーニングマン」では、「Give & Give」と「No Spectators（傍観者になるな）」という二つのコンセプトによって、参加者みんなが表現者となり、映画『ペイ・フォワード（Pay it Forward）』のような「利他」の精神に満ちた世界が広がっています。

参加者全員が身分や年収、人種、年齢に関係なく、独自のルールの中で助け合いながら、好きなように「ありのままの自分」を表現しています。そして、様々な人と触れ合ったり、新しいことにチャレンジしたりすることで、自分自身を受け入れ心がポジティブに変わっていくのです。

以前、僕も「バーニングマン」に一週間参加したことがあるのですが、その時に経験したことや感じたことは今も自分の中の思想の一部になっています。

人の心が変われば、世界が変わります。物質的な現実の世界を突然変えようとしても、なかなか変えられないけれど、それでも人々の心が変われば、やがて世界も変わっていくのです。

それこそが、これから最も重要なことなのではないか、と思います。リアルな現実から変えていくより、もしかしたら早いかもしれません。

メタバースから人々の意識が変わり、最終的には国家を超えるような世界が生まれてくるかもしれません。

デジタルヒューマンの可能性

「デジタルヒューマン」という言葉をご存じでしょうか。

CGでつくられていて、実際には存在しません。しかし人間そっくりの存在で、パラリンピックの閉会式でも出演してもらったモデルのimmaちゃんをはじめ、二〇二五年の大阪・関西万博（EXPO 2025）においてもテーマ事業のプロデューサーを務める落合陽一さんのパビリオンで、そのデジタルヒューマンを扱うことが発表されるなど、近年急速に注目を集めています。

僕自身も今、海外のチームとそのデジタルヒューマンをつくるプロジェクトに関わっていて、何ごとも使い方次第ということもあると思うのですが、良い面に使う志があれば、このデジタルヒューマンには無限の可能性があると思っています。

今の時代、生身の人間が真理を伝えると、かえって怪しく思われてしまうことを、デジタルヒューマンであればさらっと言えてしまうかもしれませんし、日々の人々の心を支える、「メンター（助言者）」になることもできるかもしれません。

もちろん、だからこそ、それをどのように設計するかが問題ですが、しっかりとした最初の設計をすれば「メタ・メンター」みたいなものはありえるなと思っています。

他にも会社の受付や施設の案内、ひとり暮らしや高齢者の話し相手にだってなれる可能性があり、様々な社会の問題の解決にデジタルヒューマンが活用できると思います。

日本人の魂を入れた次世代の世界のスーパースタープロジェクト

今、僕が関わっているのは、次世代の世界のスーパースターをデジタルヒューマンでつくるというプロジェクトです。キャラクターで言えば、ミッキーマウスが生まれることと似ているのかもしれません。

しかし、その根幹には日本の魂を入れたい、というトップの方の意向があり、その流れの中でご縁があって出会うことになったのです。

次世代のスーパースターであっても、人々を操ったり盲目的にしてもいけません。一番大切なのは、人々が自ら気づいていくことなので、伝道師、教祖になってはならないのです。あくまでも、人々に答えを教えるのではなく、自らが真理に気づいていくために愛のある設計にしなければいけない、と僕は思います。

ＡＩ（人工知能）は人間の集合意識の叡智

今、話題になっている「Chat GPT-4（米 OPEN AI社）」では、ＡＩ（人工知能）が質問にすごくきめ細かく答えてくれます。

また、「Stable Diffusion」や「Midjourney」など画像生成ＡＩを駆使すれば、キーワードの組み合わせでものすごい精度の画像を生成してくれます。

今、様々な分野でＡＩ（人工知能）が、かなりの作業を効率的かつ円滑に進めてくれるものになっています。もちろん、それはあらゆる情報の集積なので時に間違った変な答えもあったりしますが、それでもすごい時代になってきたと思わずにはいられません。

しかし今後、ＡＩ（人工知能）の精度が上がっていくと、人間を超えてしまう、いわばシンギュラリティ（技術的特異点）が起こるのではないかと恐れられていいますし、良くも悪くもあらゆる変化は起きるでしょう。

しかし、時代というのはいつ何時も変化してきました。なので、僕はその変化自体を恐れてはいません。

全ては捉え方ですが、ＡＩ（人工知能）は人間の集合意識の叡智です。今までは「技術」というものに時間とお金をかけていたのが、それらを代わりにやってくれるのです。そうなると人々に余白の時間が生まれ、むしろ、そこで必要とされるのは「アート・センス」と「ハート・センス」だと思っています。


例えば、昔は技術がある人しかつくれなかった芸術作品が、ＡＩ（人工知能）を活用してつくれる時代になるのです。キーワードをいくつか並べるだけで、それらを合成した画像がリアルでもアニメでも作成できるようになっています。しかし、その時、何が美しいのかを決めるセンスや、クリエイティブをどこで止めるかを判断する、美意識みたいなものは必要になってくるでしょう。

そして、それを誰のためにつくって、どのように社会で使うのかという、他者のことを考えるハートのセンスも必要になってきます。ですから、これからはより感覚の時代、センスの時代になっていくと思うのです。

「アート・センス」と「ハート・センス」の時代です。

では、そのセンスはどこで培うのかといったら、僕は究極のところ自然との繋がりだと思います。自然界の美に触れることによってセンスは育まれていくと思うのです。

もちろん、世界中にある素晴らしい芸術作品に触れることもそうでしょう。しかし、大自然という壮大なアートはそれらを上回る美しさがあります。

ですから、メタバースもバーチャルもそうですが、テクノロジーが進んでいくと、人は自然から切り離されると思われがちですが、むしろ逆に自然との繋がりがないと、それらを駆使していくセンスは培われない。むしろ人はより自然に還っていかなければならない、と思うのです。

テクノロジーは人類を前に進めるだけではなく、元に戻してくれる

大阪・関西万博（EXPO 2025）の催事全体のコンセプトは「その一歩が、未来を動かす。」ですが、主催者催事のコンセプトは「地球共感覚」です。

聞き慣れない言葉かもしれませんが、「共感覚」とは一般的に、一つの感覚刺激に対して異なる種類の感覚も感じる知覚現象のことなのですが、それは太古から続く自然（＝地球）との繋がりの中で、本来誰もが持っていた感覚ではないかと思っています。

そうした地球と繋がる感覚の拡張体験をすることで、人間という生き物が本来持っていた魂の記憶みたいなものに触れてほしい、という願いもあります。

また、ＡＩ（人工知能）との共存ということをテーマの一つにしようと思ってい

ます。

ＡＩ（人工知能）の進化をむやみに恐れるのではなく、人類の叡智の集合体なのであり、技術の分野を手助けしてくれる存在なのだと気づいてもらいたい。だから人はもっと感覚、センスで生きられるようになって、そして、その感覚、センスは自然との関わりの中で育まれていくものなのです。

未来へと進んでいるようでいて、原点へと還っていく、自然へと還っていく。テクノロジーは人類を前に進めるだけでなく、ある意味、元に戻してくれるのです。

人間が本来持っていた感覚や能力といったものを引き出してくれたり、自然やあらゆる生命との繋がりを思い出させてくれたり、そういうテクノロジーと共存した世界を大阪・関西万博でも提案していこうと考えています。

テクノロジーの最先端にあるもの、「いのち」の進化の最先端にあるものを、ぜひ体験していただきたいと思います。

体験設計の時代へ

これまで、イベントなど一時的ではありますが、いくつもの体験の空間をつくってきました。

時にはたった一日、たった数時間しか味わえないものもありますが、それでもそこでしかない体験、出会えない奇跡、それらを通じてこの世界がもっと美しいと思える気づきへと繋がれば、という思いでそれらの体験コンテンツをつくってきました。

そんな中で最近はイベントづくりだけではなく、未来へ残る公園や都市開発、地方創世などのプロジェクトに関わることも多くなってきました。

もちろんイベントという一瞬の奇跡、儚《はかな》いからこそ得ることのできる体験も沢山ありますが、やはり日常の環境で人々の心は変化していくのでしょう。ですので、未来へ残る開発、街づくりは非常に責任重大だと感じています。

しかし、これらのプロジェクトに関わるようになって驚いたのが、多くの商業施設や建物、人々が集まるような憩いの場も、先に建築物や空間がつくられ、それらが計画されたあとに、ここで何かイベントや体験コンテンツを考えてください、ということが多かったのです。

これまでの時代であれば、仮に建物が先に設計されても人気のショップやコンテンツをそこに集めれば、人々は集まってきたかもしれません。しかし、これから五年、一〇年後、同じフォーマットで人々が同様にやってきて自然な賑わいが起きるのでしょうか。

特に近年はあらゆるものがオンラインへと代替されたり、人々の価値観は大きく変わりつつあるなか、未来を見据えると当然同じフォーマットで通用するはずもないと思うのです。

そこで、僕みたいな体験をつくってきたクリエイターに目をつけてくれた、あるデベロッパーの方々がいました。そして、僕がお伝えしたのは体験設計の重要性でした。

想像してみてください。もし、この世界に何もなかった場合、どのような生活や体験が理想かを考え、自分や誰かのことを想い、心を込めて体験設計をするはずです。

そして次に頭を使い、それにはこんな形の屋根や広場がいる、そのためにはこれくらいのお金が必要と、その体験設計に合った建築や空間を考えるでしょう。

しかし現実は、どこかで順番が逆転してしまい、前述したように先に物質的な建築物がつくられ、そのあとで体験をつくるという風に変わってしまっていたのです。

もちろん、つくり手側の都合で言えば、大きな建築物や大きなお金が動くプロジェクトを先に決着させたいというのは理解できます。

しかし、どんな場所でも結果的には人々が介在するのですから、建物よりも先にそこでどんな体験をさせたいのか、という体験の設計が必要だと思うのです。

幸いにもそのプロジェクトの建築家の方はこの意向に賛同してくださり、その体験設計から建築空間を大きく変更してくださいました。

建物も空間も原子レベルでいえば同じ性質、同じエネルギーです。

これからも僕らの住む街にはどんどんすごい建物や空間が出来ていくと思いますが、だからこそ原点に立ち帰る、誰かのことを想い、心で体験の設計をする。

そうした空間は　感情のある施設としてエネルギーが集まり、自然発生的に人々が集うのではないでしょうか。

これからの未来の街づくりでは、体験設計の重要性がますます高まり、そこでつくり出された空間が、より人々の心に訴えかけるものになることを願っています。

日本は未来のテーマパーク

僕自身、コロナ以前は年間半分くらいは仕事も兼ねながら海外を旅していました。もちろん世界を知ると、日本の素晴らしさも知ることができます。

他方で、自由な発想で新しいことをどんどん取り入れている世界を見ると、なんて日本は窮屈で、なんでいまだにこんな古い仕組みの中にいるんだろう、と感じてしまっていたのも正直なところです。

しかし、ここ数年は世界的なパンデミックにより、海外に行くことができず、その代わりに日本中を旅して回りました。

そして、そこで見た景色は、世界のどこかの地名がついていないだけで、僕が世界中で見た憧れの絶景に決してひけをとらない美しい自然の数々でした。

日本の国土は、南北三〇〇〇㎞にわたる大小の島々からなり、気候一つとっても、亜熱帯から亜寒帯までいくつにも分かれています。平均降水量は世界の約二倍もあり、国土の約半分が豪雪地帯となっており、そのおかげで世界でも類を見ない多様な自然、国土を形成しています。

さらには日本には四季があり、四季折々の多彩な自然の中で様々な景色、食、文化を楽しむことができます。

かつて日本が、「黄金の国・ジパング」と言われていた時代があったように、日本の豊かな文化や自然、または日本が独自に発展させてきた技術や産業は世界を見渡しても稀有な存在です。日本を訪れる外国人にとっては、僕たち日本人が思っているよりもずっと、特殊な場所として感じられているようです。

以前、あるプロジェクトでご一緒した外国人の集団を東京に案内した時、「なんだ、この街は！　スーパーセレクトショップじゃないか！」と言って興奮していたのを思い出します。

あらゆるものが詰め込まれていて一見カオスなはずなのに、なぜか調和がとれていて、美しさも感じると言うのです。

たしかに渋谷・原宿を例にとっても、ストリートからラグジュアリー、カワイイもあって、人工でつくられた広大な明治神宮の森には神社がある。さらに広げれば横丁や電子街やカラオケやオタク文化もあって、浅草のような江戸を感じられる文化、街並みまで残っている。

これは決して東京一つだけの話ではなく、日本を訪れる外国人にとっては日本全体がまるで一つのテーマパークのように映るのではないでしょうか。

僕には、そんな日本全体を未来のテーマパークにしたいという思いがあります。

二〇世紀のテーマパークの代表格は皆さんにもおなじみのディズニーランドでしたが、二一世紀の未来型テーマパークは日本全体がテーマパークになれると思うのです。

この未来のテーマパークには多様な文化、テクノロジー、人々が混在しながらも調和のとれた世界、日本全体のコンテンツが繋がり可視化された大きなテーマパークです。

日本の地域一つ一つが、日本という一つのテーマパークという意識を持つことで、それぞれの個性を持ちながらも、全てが繋がりあって一つの生き物のような感覚を持った大きなテーマパーク会場になる、そんなイメージです。

世界中の文化、産業が集まる二〇二五年の大阪・関西万博の機会を最大限活用し、あらためて日本が観光立国として立ち上がり、そして、二〇三〇年までに日本全体が二一世紀の未来型テーマパークとなる。

二〇三〇年は国連が定めたSDGs達成に向け目標と定めた年、他にも中東のサウジアラビアもVISION 2030という二〇三〇年までに観光立国となるという目標を掲げています。

そのような二〇三〇年に向けた世界的変革の波に乗って、日本が変わっていくのは決して不可能ではないと思うのです。

もちろんただ変化、発展するということだけではなく、日本人が本来大切にしてきたものに、まずは僕たちが気づき、そしてそれらを伝えていく。

日本には「里山」、「里海」に見られるように、自然を支配、対峙するのではなく、自然と共生し、その免疫力を活かしながら糧を得ていくという考え方や、「いただきます」という言葉に見られるように、命や自然の恵みに感謝するものとして「食」を捉える考え方があります。

そのような心の部分での本来の美しさ、日本の真の美しさのウネリが、どうか世界中に届きますように。

さいごに

まだ皆さんの記憶に新しいＷＢＣ（ワールド・ベースボール・クラシック）においてのサムライＪＡＰＡＮの活躍ですが、大の野球ファンはもちろん、これまで野球にさほど興味のなかった国民がなぜあれほどまで熱狂したのでしょうか。

もちろん、大谷翔平選手や、ダルビッシュ有選手などのメジャー選手の人気というのも一つにはあると思います。

しかし、それだけではあそこまでの熱狂は起きません。

仮にＷＢＣという約二週間の大会が人生の縮図だとすると、どれだけの苦境に立たされ、そして歓喜を繰り返したでしょうか。

誰もが、もう終わりだ、不可能と思った瞬間は幾度もあったでしょう。

しかし、選手一人ひとりが、その逆境の中で、闘志を燃やし、諦めなかった。

一瞬一瞬、不可能を可能に変えるために挑戦しました。

そして、その「個」が挑戦する姿を見て、自分の中で閉ざしていた、あるいは見ないようにしていた自分の奥底の、ある湧き出る情熱に触れた。どんな環境の中でも挑戦し生き延びてきた、生命としての魂の記憶に触れたからではないでしょうか。

このWBCでの全ての物語が自分の人生の縮図として一瞬で置き換えられ、「この混沌とした世界でも生き抜いていこう！　挑戦していこう！」と思った人は少なくないはずです。

満を持して開催する予定だった東京二〇二〇オリンピック・パラリンピック競技大会も世界的パンデミックにぶち当たりました。時代錯誤とも捉えられる様々な問題が露呈している日本において、国をあげて行う国際行事、大阪・関西万博（EXPO 2025）なんて一見すると逆風ばかりのように感じるかもしれません。

世界もまだまだ様々な先行きの見えない多くの問題を抱えています。

しかし、だからこそ変えるチャンスがある、挑戦する意味がある。

サムライJAPANの活躍に見たように、どんな逆境でも諦めない姿、そして負けた相手チームも称える謙虚さ、そんな日本人の本来の心の「美」が世界中へ伝わり、平和な世界を創っていく。

勝ち負けでもなく、日本人としてだけでなく、地球人として「心の時代」のリーダーシップをとれる、そんな美しき日本から始まる未来を切に願っています。

小橋　賢児

私たちが創る
美しき日本からの未来図

著　者　小橋賢児
発行者　真船美保子
発行所　KK ロングセラーズ
東京都新宿区高田馬場 4-4-18　〒 169-0075
電話（03）5937-6803（代）　振替 00120-7-145737
http://www.kklong.co.jp

印刷・製本　大日本印刷(株)
落丁・乱丁はお取り替えいたします。※定価と発行日はカバーに表示してあります。
ISBN978-4-8454-2338-5　Printed In Japan 2023